Thème et Textes

TOPICS AND TEXT STUDIES FOR ADVANCED FRENCH

Bernard Lien
Maureen Raud

JOHN MURRAY

First published 1998
by John Murray (Publishers) Ltd
50 Albemarle Street
London W1X 4BD

Layouts by Amanda Easter
Illustrations by Eric Apsey
Cover photo: JP Nacivet/Planet Earth Pictures

Typeset in 11/12 pt Walbaum Book and Futura Book by Wearset, Boldon, Tyne and Wear
Printed in Great Britain by The Alden Press, Oxford

A CIP catalogue record for this book is available from the British Library

ISBN 0 7195 7530 3
Tutor's Book 0 7195 7531 1

Contents

Acknowledgements

The authors would like to thank:

all their students, and in particular the MFL staff and Year 12 'A' level French pupils at Cuthbert Mayne School, Torquay, Devon and also at King Edward VI Community College, Totnes, Devon, for their help in piloting materials; the course participants at La Rochelle lingua course for teachers of 'A' level French (1997 and 1998) for their comments, opinions, suggestions and generous support; and Ann Haysler for her help in contacting the European Commission in Brussels and in finding suitable documents.

The authors and publishers are grateful to the following for permission to include material in the text:

pp.13 and 14 With kind permission of *OK!*; **pp.15 and 17** © *Editions Milan*-France, «Les Droits des jeunes», Les Essentiels n°36 de Sylviane Baudois; **pp.19–20** The New York Times Syndicate; **p.23** «Je commence demain», Paroles et Musique: Jean-Jacques Goldman. Copyright: 1987, JRG-Montrouge, France; **p.27** © 1995 Chandelle Productions. Avec l'aimable autorisation de Chandelle Productions; **pp.29–30** Le nouvel Observateur/Jean-Jacques Chiquelin; **p.33** José Cabanis, «La bataille de Toulouse» in *Les jardins de la nuit.* © Editions Gallimard; **p.34** Photo Reuter; **p.36** Agence France-Presse; **pp.42–3** Serge Grafteaux, *Mémé Santerre.* Editions Universitaires; **p.45** Karen Benchetrit/*L'Etudiant*; **p.46** InfoMatin; **pp.48–9** *Réponse à tout!*, Alain Ayache Développement S.C.S.; **p.54** © *Editions Milan*-France, «Les Droits des jeunes», Les Essentiels n°36 de Sylviane Baudois;**pp.56–7 and 58–9** © *Editions Milan*-France, «La Drogue », Les Essentiels n°6 de Francis Curtet; **pp.60 and 61** © *Phosphore* - Bayard Presse - 1997; **p.62** InfoMatin; **p.69** «Né en 17 à Leidenstadt », Paroles et Musique: Jean-Jacques Goldman. Copyright: 1990, JRG-Montrouge, France; **pp.70–1** Claire Etcherelli, *Elise ou la vraie vie.* © Editions Denoël; **p.73** TF1, 1991; **p.75** Agence France-Presse; **p.76** «Ton fils», Interprète: Johnny Hallyday. Paroles et Musique: Jean-Jacques Goldman. Copyright: 1986, JRG-Montrouge, France; **pp.80–1** Alain Carbonnier/les Films de l'Estran/Centre National de la Cinématographie; **p.82** Centre National de la Cinématographie; **p.84** Société Radio-Canada; **p.86** With kind permission of Les Films du Carrosse; **p.90** Centre National de la Cinématographie; **p.92** Thierry Petit;**p.99** Olivier Pelladeau/France-Soir; **p.100** «La Montagne». Paroles et musique: Jean Ferrat. © 1980 by Productions Alleluia. © 1964 by Productions Gérard Meys. 10, rue Saint-Florentin - 75001 Paris; **pp.106–7** Visa Image; **pp.109–10** © Eric Teissier; **p.112** «Regain» de Jean Giono. Editions Bernard Grasset; **pp.114–15** Visa Image; **pp.120-1** *Exploring Europe.* Office des publications officielles des Communautés européennes; **p.124** L'Office de Tourisme et d'Information de Bruxelles ASBL; **p.126** *Guide de la Belgique*; **p.128** Yves Vander Cruysen, Echevin de la Culture, Commune de Waterloo; **p.130** «Le Plat Pays». Paroles et Musique de Jacques Brel. Publié avec l'autorisation de la Société d'Editions Musicales Internationales et des Editions Patricia (Semi/Editions Patricia) - Paris - France.

Photograph and artwork acknowledgements

Cover J.P. Nacivet/Planet Earth Pictures; **p.15** © *Editions Milan*-France, «Les Droits des Jeunes», Les Essentiels n°36 de Sylviane Baudois; **p.17** © *Editions Milan*-France, «Les Droits des Jeunes», Les Essentiels n°36 de Sylviane Baudois; **p.19** © Bernard Bisson/ Sygma; **p.29** © Ademas/Sipa Press; **p.34** Corinne Dufka/Popperfoto/Reuter; **p.36** © Hermeline/ Cogis; **p.46** Eric Apsey; **p.48-9** Frédéric Deligne; **p.54** © *Editions Milan*-France, «Les Droits des Jeunes», Les Essentiels n°36 de Sylviane Baudois; **p.56** © *Editions Milan*-France, «La drogue», Les Essentiels n°6 de Francis Curtet; **p.58** (both) © *Editions Milan*-France, «La drogue», Les Essentiels n°6 de Francis Curtet; **p.61** © Jack Dabaghian/Popperfoto/Reuter; **p.62** © John Townson/Creation; **p.75** AFP/Georges Gobet; **p.80** © William Karel/Sygma; **p.82** Les Films du Carosse - Photographe: André Dino. Photo supplied by BFI Films: Stills, Posters and Designs; **p.92** Thierry Petit; **p.94** © Thierry Prat/Sygma; **p.96** © Pierre Toutain-Dorbec/ Sygma; **p.105** Eric Apsey; **p.106** © P. Baudry/ Visa; **p.110** © Eric Teissier; **p.113** © A. Lorgnier/ Visa; **p.121** © B. Boccara; **p.124** Supplied by L'Office de Tourisme et d'Information de Bruxelles; **p.128** Belgian Tourist Office, London.

While every effort has been made to contact copyright holders, the publishers apologise for any omissions, which they will be pleased to rectify at the earliest opportunity.

Using *Thèmes et Textes* for A level French

Thèmes et Textes aims to do the following:

- broaden your discovery of aspects of French life and culture through the study of topics and texts
- smooth your transition from GCSE language work to the more in-depth demands of post-16 French
- develop the advanced reading and writing skills you will need for success in your post-16 coursework and exams.

This Student's Book includes:

- **guidelines on successful study and writing skills**
- **nine topic dossiers:**
  - Les jeunes et leurs parents
  - Nos amis les animaux?
  - Le monde du travail
  - Dépendances et santé
  - Liberté, égalité... racisme?
  - Le cinéma de François Truffaut
  - La vie urbaine, la vie rurale
  - Une région française – La Provence
  - Un pays francophone – La Belgique

Each **topic dossier** provides:

- a series of texts from different kinds of sources – some from the French press, some songs, some extracts from novels, and some extracts from reference sources which provide key facts and figures on aspects of French life. These texts provide an introduction or overview of the topic, as well as being the basis of language practice. There are language tasks based on each of the texts
- suggested coursework themes with essay plan suggestions to consider for each one
- details of suitable French sources which you could research for further relevant material on the topic.

The topic dossiers should provide enough information and ideas to give you a starting point and a framework for your coursework or for your coverage of the topics for the exam.

Planning and writing coursework and essays

For A level you will have to write either essays or coursework pieces on topics relevant to the syllabus, many of which are reflected in the topic dossiers in this book. Check in the syllabus you are following to find out exactly what is required of you – how many items, what length they should be, when they have to be completed.

This writing will be more extensive and more sophisticated than any writing you are likely to have done in French for previous exams, and it needs careful planning, organisation and checking if you are to obtain the best possible result.

For **coursework**, you need to select a topic or topics which you can realistically research with the resources available to you. You then need to plan your research and your writing to make sure you allow time for:

- the investigation
- the work itself
- the checking/finalisation of your piece(s).

The following three pages provide three planning documents to guide you through this process. Your teacher has copies of these forms for you to fill in.

On page 6 are practical guidelines on how to structure your writing in a clear and logical way – this is equally relevant for coursework or essay writing.

On page 8 is a list of points for troubleshooting which you should take care to double-check when you have drafted your piece. Many of these points are to do with grammatical accuracy which can be overlooked in the process of writing about a topic which interests you! Using this list effectively could make a substantial difference to your marks.

NAME OF COLLEGE/SCHOOL: ....
A LEVEL FRENCH COURSEWORK
PLANNING DOCUMENT NO. 1

NAME ....

REMINDER: DRAFT PLAN DUE BY ....LATEST

FINAL PLAN TO BE AGREED BY .... LATEST

ESSAY TO BE SUBMITTED BY .... LATEST

WHAT BROAD SUBJECT AREA ARE YOU CONSIDERING?
[Keep your options open for discussion with your teacher. If you are in two minds then note down anything you are interested in writing about and await advice.]

WHAT ASPECT OF THE SUBJECT WILL YOU BE WRITING ABOUT?
[It would make sense to discuss the first section with your teacher or supervisor before filling in this part.
You are now being asked to start narrowing down your field and again your teacher will be able to advise you on suitability, availability of materials for research, etc.]

WHAT RESOURCE MATERIALS HAVE YOU FOUND? ARE THEY IN FRENCH?
[If you haven't already been to the library then you should go there soon. Your local or school library may well have some useful and interesting materials but it is unlikely that they will have much in the French language. Your librarian will need time to order the necessary books and articles from a French source. Think also of contacting any of the useful addresses supplied in the text dossiers of this book. If you have a contact in France or if you are planning a visit, then make a shopping list for books, magazines and newspapers.]

PLEASE RETURN THIS SHEET TO .... BY ....

Your teacher has copies of this document, with headings only, for you to complete.

NAME OF COLLEGE/SCHOOL: ....
A LEVEL FRENCH COURSEWORK
PLANNING DOCUMENT NO. 2

NAME .... **DATE** ....

WHAT IS YOUR SUBJECT AND TITLE?
[You should now be much more focused on your work having decided on a title which is **neither too vague nor too ambitious**, bearing in mind the length of the piece as dictated by your exam board. Be prepared to accept advice here as the title dictates how you will approach the work and an ill-chosen one could well negate all the hard work and research you have done. However, do choose an aspect of the subject that you want to write about – a little enthusiasm goes a long way and will make your research much more enjoyable.]

WHAT HAVE YOU DONE SO FAR?
[Make a list of everything you have done as part of your preparation and research. When you are discussing this with your teacher it will help them to point out anything you haven't thought of.]

WHAT HAVE YOU STILL TO DO?
[This section will be easier to do when you have checked the previous section with your teacher. Be thorough as this will act as an *aide-mémoire*/ticklist as you progress. You can add to it as you go along if something springs to mind.]

WHEN DO YOU INTEND TO COMPLETE YOUR PREPARATORY RESEARCH?
[This part should help you pace yourself and give yourself a realistic time-scale for preparing your final plan. Remember that beyond the final plan your teacher will not be able to help you so it is important that you both know when each stage will be completed so that any necessary discussions can be planned for.]

ARE YOU HAVING ANY PROBLEMS?
[This doesn't just apply to missing articles or books that haven't arrived. You may be having language problems or you'd just like to discuss key words or structures that you are unsure of. **Now** is the time to ask. You may wish to alter your title in the light of something in your research you would like to pursue. Get advice now!]

WHEN WILL YOU BE ABLE TO PRESENT A DRAFT PLAN?
[Discuss this with your teacher and be realistic. Do not turn up on the agreed date with a few scribbled notes. The draft plan is your last working document that you can have help with and if you get it right, then the actual writing of your piece will be so much easier.]

Your teacher has copies of this document, with headings only, for you to complete.

NAME OF COLLEGE/SCHOOL: ....
A LEVEL FRENCH COURSEWORK
PLANNING DOCUMENT NO. 3

BRIEF RÉSUMÉ OF CONTENT
[Say what you mean to include here so that your teacher can make sure you have covered all the areas that you need. If anything **is** missing, you can discuss where it would best be included and in what way.]

YOUR PLAN SHOULD SHOW THE DEVELOPMENT OF YOUR IDEAS (YOU SHOULD CONTINUE ON THE BACK OF THIS SHEET IF YOU HAVE INSUFFICIENT ROOM)
[You will need to indicate how your ideas progress through the **structure** of your piece of writing – particularly if you have chosen the discursive format of introduction, main body and conclusion. If you have chosen a more imaginative format you should still be able to show the **logical progression** of your ideas. Your teacher may suggest moving some ideas/sections around for clarity or better impact. If you have sensibly done all your preparatory work on a word-processor then this should not be a problem. Remember – the plan is the framework on which your final piece of work will hang. **It is not just a random list of things you might like to include.** It will have main headings to indicate the shape of the paragraph structure but it will also have subheadings to indicate what is happening within those paragraphs. It is a very important document so make a good job of it.]

FUTURE WORK REQUIRED
[This will be a result of the discussion with your teacher and will include any alterations needed as well as any gaps to be filled. It may also include general comments on language such as:

- vocabulary specific to the subject
- gender, verb forms, adjectival agreements, etc.

You should refer to the Troubleshooting section of this book and the appropriate section of your grammar book.]

AGREED FINAL PLAN DATE ....

Your teacher has copies of this document, with headings only, for you to complete.

How to structure your written work

The most basic structure for a discursive piece of writing – coursework or essay – is one which has an introduction, a main body and a conclusion. You will need to know how many words your chosen exam board requires in order to work out the proportions, but, generally speaking, the main body will contain two-thirds of the total number of words. Leave yourself enough words to introduce your chosen subject but don't go into unnecessary detail which would sit better in the main body of your essay. Your conclusion is your summing up but you should try to avoid repeating yourself too much. If you want to repeat an idea, try to say it in a different way. Aim for variety as you won't be credited for stating the same thing twice.

Introduction

Your introduction should be interesting and direct. After all, you want your reader to continue reading with some enthusiasm! How can you ensure a favourable reaction from your reader? Consider the following questions:

a Have you made reference to your title?
b Have you indicated the points you intend to make?
c Have you sought to expand your title in such a way that your reader knows how you intend to develop your theme and how you have interpreted it?
d Will your introduction lead smoothly into the main body of your work?
e Is your own standpoint clear?
f Have you checked the length of your introduction?
g Have you left something for your conclusion?

Main body

This is the weighty part where most of the development and argument will take place. It is also the longest section and it can therefore be an area where it is easy to wander away from the point. You should therefore construct it in such a way that the points you wish to make follow logically and present your argument clearly. It is also worth noting that the later in your writing you place the argument you are in favour of, the more likely your reader is to remember it. Thus, the argument you favour placed just before the conclusion will be the best way to influence the opinion of your reader. If, however, you have no strong feelings either way, then simply present the different points of view clearly, and allow the reader to reach his or her own conclusions.

The conclusion

This is the place where you sum up what you have said. But beware of saying the same thing twice! Your conclusion should not be a repetition of your introduction. In order to introduce some variety, try a slightly different style or save a point until the conclusion rather than using everything in the introductory paragraph. Here are a few more neat endings:

- a quotation
- a question
- a dramatic statement
- future implications.

Whichever you choose, it should have direct relevance to the title of your piece.

Other essay types

Here are some other possibilities, according to the subject matter and approach you have chosen:

- an explanatory piece of writing – where there is no argument but a simple presentation of facts and/or a comparison of ideas, events, etc.
- an interview – a chance to ask and attempt a plausible answer to all the questions that have intrigued you during your study of the person in question. This can work well for either an author, a film producer, an historical figure or a character from a novel or film.
- a letter – this can take the form of a personal letter from one fictional character to another, an open letter to the reader from a real or imaginary person, etc.
- the personal diary – of a real or imagined character, fictional or non-fictional.

These essay types allow a personal and imaginative approach. However, make sure that what you say is founded in truth and scrupulous research or, if you are imagining what might happen in the future, that your ideas are plausible and that they have their roots in something that is happening now, in France or a French-speaking country.

Troubleshooting

It's essential to check for errors once you've completed your piece of coursework or essay. Following the guidelines below will make your checking more effective.

- Even if it's your rough copy, write on alternate lines. This allows for better spacing and means that the eye can more easily distinguish between individual words. This way you may even find yourself spotting mistakes as you are actually writing and you will certainly spot the mistakes you *have* made with greater ease when you do your final checking.
- Don't try to check everything at once. Try rather to spot one category of errors at a time. Here is a list that you might like to use.

1. **Genders** – use your dictionary to check the gender of each noun or pronoun you have used. With coursework in particular there is no limit to the time you can spend checking and there is therefore no excuse for gender mistakes. If you have the slightest doubt – CHECK! With pronouns, make sure of the noun they are representing by checking back in your sentence and choosing the right gender.

   e.g. *Afin de pouvoir améliorer* ***la situation*** *il faut d'abord* ***la*** *comprendre.*

2. **The verb** – no sentence is complete without one. Don't forget this! Penalties can be heavy for verb errors since it can be confusing for the reader if the wrong tense is used or if there's doubt as to the subject of the verb. Check, therefore, for each verb:
   a Is the subject singular or plural?
   b Have you used the right tense?
   c If you've used a compound tense, have you used the correct auxiliary – *avoir* or *être*?
   d Have you used the correct ending for the subject and tense?
   e Is the verb regular or irregular?
   f If there's an infinitive, is it there because the particular structure calls for an infinitive, or is it there because you've just put down what you found in the dictionary?
   g Have you used a structure which calls for an infinitive?

3. **Adjectives** – make sure you check the endings:
   a Do they reflect the gender and number of the noun they are describing i.e. *-e* for feminine and *-s* for plural?
   b Is the adjective irregular? Use your dictionary to check for irregular feminine or plural forms.

   e.g. *des décisions importantes* – f.pl. regular
   les arguments principaux – m.pl. irregular

4. **Accents** – it's easier to do them as you go along if your word-processor has this facility. Do check. All the accents you need can be found using the ALT key. If you are not able to do this then put them in carefully by hand, making sure they go in the right direction! Again, your dictionary is the place to go to if you are unsure. Pay particular attention to words with the same spelling as the English – the French word may well have an accent.

   e.g. *la différence*

Don't forget that the *ç* is to soften the letter – an *s* rather than a *k* sound

e.g. *nous commençons*

(the addition of an *e* has the same softening effect after a *g* – e.g. *nous mangeons*)

5. ***Qui/Que*** – have you used the right one?
   Qui: subject (who.../which...)
   Que: object (whom.../which...)

   e.g. *ce qui est important...* – subject (followed by its own verb)
   ce que les hommes politiques ont oublié... – object (followed by subject + verb)

6. ***Que...*** – have you included it where necessary? Don't forget [that] we often omit 'that/which' in English but [that] we always include it in French.

   e.g. *Espérons qu'il y aura une amélioration*: 'Let's hope [that] there'll be an improvement'

7. **Prepositions** – have you used the correct one?

   e.g. *à la télé*: 'on TV'
   la clé est sur la porte: 'the key is in the door'
   en France: 'in France'
   au Pays de Galles: 'in Wales'
   à Paris: 'in/to Paris'

   If you have used a preposition like *à côté de...*, have you made the necessary changes with *le.../les...?*

   e.g. *à côté du.../à côté des...*

   Does the verb you are using require a preposition to link it to the next verb? If so, does it need *à* or *de*?

   e.g. *Nous avons essayé de corriger...*
   Il est difficile de dire si...
   Ils avaient du mal à faire...
   L'important c'est de...

8. **Inversion** – if you've started your sentence with *Peut-être...* or *Aussi...* have you remembered to invert, or turn around, the subject and the verb? Remember to use a hyphen when you do this.

   e.g. *Peut-être devrait-on considérer...*

9. **Negatives** – if you've used a negative verb, have you put the two parts in the right place? This is especially important with compound tenses or if you've used two verbs together. Think about the sense of what you are saying – which bit do you want to make negative?

   e.g. *Je ne veux pas le faire*: 'I don't want to do it'
   Je préfère ne pas le faire: 'I prefer not to do it'
   Elle n'avait pas fini de parler: 'she hadn't finished speaking'

This list is not exhaustive but it may help you to avoid making too many mistakes of the kind that are heavily penalised. *Bon courage!*

Writing letters to French sources for information

For you to complete your coursework successfully, it is likely that you will need to write to one or more organisations requesting information, answers to your queries and questionnaires, or that they send you leaflets, reports, etc.

A model letter is provided here for you to adapt according to your request. This model aims to:

- help you with correct letter presentation (French conventions for style, layout, etc.)
- show you how to open and close this kind of letter
- teach you some appropriate expressions
- maximise your chances of a reply!

Model letter

[votre adresse ligne 1
votre adresse ligne 2
votre agglomération
votre code postal
votre pays
votre numéro de téléphone
y compris votre code international]

[adresse de votre correspondant]

[votre agglomération, la date]

Mademoiselle/Madame/Monsieur

[Objet de votre lettre]

Je suis étudiant(e) en première/terminale au collège de ... à ... dans le comté du ... en Grande–Bretagne. J'étudie le français en tant que matière principale et j'ai décidé de faire un Travail d'Etude et de Recherche sur.... La réputation de votre organisation/entreprise est établie dans ce domaine et c'est la raison pour laquelle je vous écris. Mon travail ne serait pas complet et très difficile sans vous impliquer.

En conséquence, j'ai l'honneur de solliciter quelques minutes de votre temps afin que vous puissiez répondre à mon questionnaire/aux questions suivantes/m'envoyer tous documents ou brochures qui seraient susceptibles de m'aider.

Par avance je vous sais gré de votre collaboration et vous assure que votre contribution sera mentionnée comme il se doit.

Ci-joint(e) une enveloppe timbrée/un coupon-réponse international pour l'affranchissement de votre réponse.

Je vous prie de croire, Monsieur/Madame/Mademoiselle, à ma sincère reconnaissance et à mes sentiments distingués.

[votre signature]

[votre nom]

Completed example of a letter

125 Springfield Avenue
Rutland
Bartingham
BE12 3LX
Grande-Bretagne
0044 1234 654321

Société Protectrice des Animaux
39 Boulevard Berthier
75847 Paris Cedex 17
France

A Bartingham, le 17 octobre 1998

Mademoiselle/Madame/Monsieur,

Objet: Informations sur les expériences sur les animaux en France

Je suis étudiante en terminale au collège de Rutland à Bartingham dans le comté du Bartshire en Grande-Bretagne. J'étudie le français en tant que matière principale et j'ai décidé de faire un Travail d'Etude et de Recherche sur les animaux qui souffrent à cause d'expériences scientifiques. La réputation de votre organisation en ce qui concerne la lutte contre de telles méthodes est établie dans ce domaine et c'est la raison pour laquelle je vous écris. Mon travail ne serait pas complet et très difficile sans vous impliquer.

En conséquence, j'ai l'honneur de solliciter quelques minutes de votre temps afin que vous puissiez m'envoyer tous documents ou brochures qui seraient susceptibles de m'aider.

Par avance je vous sais gré de votre collaboration et vous assure que votre contribution sera mentionnée comme il se doit.

Ci-joint un coupon-réponse international pour l'affranchissement de votre réponse.

Je vous prie de croire, Monsieur/Madame/Mademoiselle, à ma sincère reconnaissance et à mes sentiments distingués.

Sarah Foster

Sarah Foster

Dossier: Les jeunes et leurs parents

Table des matières

Texte A: «Mes parents sont trop vieux jeu!»

Tiré de *OK!*, numéro 615

Est-ce que vos parents sont dans le coup ou est-ce qu'ils vous donnent l'impression de vivre dans un autre monde (peut-être même sur une autre planète) comme ceux de la lettre ci-dessous qui est parue dans *OK!*, un magazine pour adolescents? Lisez plutôt.

Une fidèle lectrice de Douai: «MES PARENTS SONT TROP VIEUX JEU!»

J'ai 15 ans, et je peux vous assurer que pour moi, ce n'est pas l'âge idéal, contrairement à ce que disent les adultes. C'est bien simple: je ne peux rien faire, en dehors d'aller à l'école (où j'ai toujours obtenu de bons résultats) et rester à la maison pour faire mes devoirs et réviser! Mes parents refusent systématiquement toute sortie au cinéma, en boum et même un simple tour en ville avec des copains. Ils s'imaginent que de telles distractions pourraient me faire tourner la tête et que j'en oublierais mes études. Quant au flirt, ils trouvent inadmissible que des filles de mon âge aient des petits amis. (Moi, pour eux, c'est évidemment impensable....) Vous imaginez dans quelle galère je suis! Comment pourrais-je les convaincre d'évoluer un peu et obtenir ainsi un minimum de libertés? Je vous précise tout de même que mes parents sont jeunes, ils ont trente-cinq ans, et qu'on pourrait donc les croire assez proches de moi...

Les faits et les opinions

1. Voici des phrases tirées de la réponse de *OK!* (page 14). A qui s'appliquent-elles? A la fille, à ses parents, à tous les trois ou à personne?

a trop permissifs
b privée de sortie
c un excès d'autorité
d compréhensifs
e totalement libre
f n'est plus un bébé

2. Résumez la lettre.
Ses parents lui défendent de. . . (quatre choses)
Elle est obligée de. . . (quatre choses)

3. Identifiez la phrase qui résume le mieux. . .
a l'attitude des parents: trop vieux trop sévères peu compréhensifs en colère
b l'attitude de la jeune fille: trop permissive désespérée rebelle paresseuse

Imaginez. . .

4. Avez-vous, personnellement, assez de libertés? A la maison? Au lycée? Dressez une liste des libertés que vous aimez. Discutez-en avec un autre élève de votre groupe. A-t-il/elle les mêmes idées? Quelles sont vos conclusions?

5. Voici la réponse complète de *OK!* Etes-vous d'accord? Ecrivez, en groupe, votre propre réponse.

La réponse de OK!

Je pense qu'en lisant ta lettre beaucoup de lecteurs et de lectrices vont pouvoir réaliser la chance d'avoir des parents plus compréhensifs, plus «cools» que les tiens. Autant il n'est pas toujours souhaitable d'avoir des parents trop permissifs, autant un excès d'autorité, une absence totale de libertés non justifiée (ce qui est ton cas) sont, à notre avis, tout à fait exagérés, voire néfastes. A quinze ans, tu n'es plus un bébé. D'ailleurs ta lettre prouve à la fois ton équilibre et ta maturité. Loin de te rebeller contre eux, tu voudrais les convaincre, les persuader qu'ils ont tort d'agir ainsi. D'autant plus, comme tu l'écris, que tes parents sont jeunes et on pourrait donc penser qu'ils sont effectivement à même de comprendre les problèmes des adolescents qu'ils ont vécus eux-mêmes il n'y a pas si longtemps... Mais as-tu parlé à tes parents comme tu l'as fait avec nous? N'y a-t-il pas entre vous un problème de communication? Il faut absolument que tu t'expliques avec ton père, avec ta mère ou bien tous les trois ensemble. Il n'est pas normal, en effet, que tu sois à ce point surveillée et, surtout, privée de sorties sans motif valable. Une petite suggestion: propose-leur de te laisser par exemple le samedi après-midi totalement libre et de vérifier si cela a une influence fâcheuse ou non sur tes résultats scolaires. S'ils sont d'accord, ne relâche surtout pas tes efforts, maintiens les bons résultats et tu leur auras ainsi prouvé que tu pouvais sortir sans que cela nuise à tes études. Après le samedi après-midi, tu pourras toujours tenter le dimanche ou le samedi soir de temps en temps. Mais l'année prochaine... Bonne chance!

Texte B: «Les droits des enfants»

Tiré de *Les Droits des jeunes* de Sylviane Baudois

La plupart d'entre nous ont la chance d'avoir de très bons rapports avec nos parents. Certains autres ont des rapports au mieux mixtes et souvent plutôt mauvais. Heureusement, c'est l'exception quand l'inimaginable se produit comme avec David Bisson, dans l'article intitulé «Pourquoi ma mère m'a fait ça?». Mais, en fin de compte, avons-nous des droits avant l'âge de dix-huit ans ou n'en avons-nous que par l'intermédiaire de nos parents qui nous élèvent et sont légalement responsables de nous?

Il y a la «convention des Nations Unies des droits de l'enfant» qui a été signée par presque tous les pays du monde.

Lisez le texte suivant sur cette convention pour savoir plus précisément quels sont ces droits.

Les droits des enfants

Dès leur naissance, les enfants ont des droits, auprès de leurs parents, des autres adultes et de la société. La convention des Nations unies sur les droits de l'enfant est applicable dans les pays signataires.

Les premiers droits

Le premier droit d'un enfant, c'est tout d'abord de connaître ses parents. Inciter des parents ou l'un d'entre eux à abandonner un enfant né ou à naître est puni de six mois à un an de prison, et modifier ou dissimuler son état civil (ses nom et prénom) de trois ans de prison.

Ensuite, le droit d'un enfant est d'être pris en charge par ses parents, d'être nourri, logé, et d'accéder à l'éducation. C'est également d'être protégé des violences et abus sexuels de la part de sa propre famille ou de la part d'autres personnes. La loi est précise sur tous ces sujets.

Si le mineur s'estime maltraité ou s'il rencontre un grave problème dans sa famille, il faut qu'il en parle à un éducateur, une assistante sociale, un médecin dans son entourage scolaire, ou bien à un adulte en qui il a confiance. Il peut également aller voir directement le juge des enfants ou le procureur de la République. Dans ces démarches, il peut se faire accompagner par un avocat qui l'assistera.

S'exprimer et être écouté

Le mineur a le droit de s'exprimer et d'être entendu par le juge. Par exemple, lorsque le juge des enfants doit statuer sur une procédure d'assistance éducative, il va décider, sur la demande de l'enfant, des parents, ou du procureur de la République, de l'avenir du mineur. Celui-ci peut rester dans sa famille sous surveillance des services sociaux, ou être confié à un tiers ou à un centre d'éducation. La loi prévoit que l'enfant, ou son représentant (avocat), doit être entendu avant toute décision, sauf si son âge ou son état de santé ne le permettent pas. Si les parents se séparent, il a le droit d'être entendu par le juge des affaires familiales.

Les droits de l'enfant font l'objet d'une attention toute particulière depuis quelques années, et bien que mineur, il est de plus en plus reconnu comme une personne et comme un interlocuteur valable. Mais il y a une limite à l'extension des droits de l'enfant, qui ne doit pas affaiblir la protection que ses parents, les adultes et la société lui doivent.

La convention des Nations unies sur les droits de l'enfant

Elle date de 1989, et 169 États sur 185 l'ont signée. La France l'a ratifiée en 1990. Certains pays comme l'Inde, la Thaïlande, où les droits de l'enfant ne sont absolument pas respectés (travail et prostitution dès le plus jeune âge) ne l'ont pas signée, tout comme un grand pays comme les États-Unis. À l'inverse, des pays comme les Philippines (haut lieu de la prostitution enfantine) l'ont pourtant ratifiée.

Les dispositions contenues dans cette convention s'appliquent à tous les pays signataires, et priment leurs propres lois. Un enfant ou sa famille a d'ailleurs la possibilité de s'appuyer sur le texte de cette convention lors d'une action en justice.

La convention répond à trois grandes préoccupations:

– la protection de l'enfant contre son exploitation (travail, exploitation sexuelle) et contre les mauvais traitements;

– la prise en charge des jeunes délinquants, qui ne peuvent être traités comme des adultes ni subir les mêmes peines;

– la participation de l'enfant qui prévoit la possibilité pour le mineur de se prononcer sur les questions le touchant de près.

Les mots et les expressions

1. Cherchez les équivalents dans le texte.

a one of them
b one's own family
c a social worker
d whom he trusts
e an individual education programme
f under supervision
g a third party
h if the parents split up
i on the other hand
j looking after under-age criminals

Les faits et les opinions

2. D'après ce texte, un enfant a quatre droits de base. Relevez dans le texte ces droits et écrivez un exemple (réel ou imaginé) qui illustre une violation de ce droit. Le premier a été fait pour vous.

Le droit de connaître ses parents: par exemple, il est illégal d'abandonner son enfant à l'entrée d'un hôpital pour qu'il soit recueilli et, plus tard, adopté par d'autres personnes.

3. La convention des Nations Unies sur les droits de l'enfant répond à trois préoccupations:

1 sa protection
2 l'aider s'il a commis des crimes
3 le consulter

Voici des exemples où les droits des enfants ne sont pas respectés. Ecrivez 1, 2 ou 3 après chaque exemple pour montrer laquelle des préoccupations ci-dessus est concernée.

a Un garçon de treize ans qui vole des voitures
b Une fille qui préfèrerait vivre avec son père après le divorce de ses parents
c Un collégien toxicomane
d Une fille de sept ans qui passe sa journée à faire des tapis
e Un garçon de onze ans qui est terriblement battu par l'ami de sa mère
f Un frère et une sœur qui ne veulent pas être adoptés séparément
g Une prostituée de quinze ans

4. Lisez les affirmations ci-dessous. Sont-elles vraies ou fausses? Si elles sont fausses, rectifiez-les pour qu'elles soient vraies.

a Une énorme majorité de pays a signé la convention.
b Les Etats–Unis ont signé pour montrer l'exemple.
c L'Inde n'a pas signé car elle ne protège pas bien les enfants.
d Les Philippines n'ont pas signé à cause de la prostitution enfantine.
e La convention ne peut pas aller à l'encontre des lois des pays signataires.

Texte C: «Les devoirs des parents»

Tiré de *Les Droits des jeunes* de Sylviane Baudois

Etroitement liés aux droits des enfants, il y a les devoirs des parents. Bien sûr, la grande majorité des parents n'a pas besoin de consulter la loi pour savoir quels sont leurs devoirs vis-à-vis de leurs enfants. Mais, si besoin est, quels sont ces devoirs?

Les devoirs des parents

Les parents ont à l'égard de leurs enfants un devoir d 'hébergement, de surveillance, d'éducation et sont responsables de leur santé physique et morale.

Une responsabilité matérielle

Les parents ont l'obligation de nourrir, héberger, élever leur enfant jusqu'à sa majorité à 18 ans et de l'envoyer à l'école jusqu'à 16 ans. S'il poursuit des études, cette obligation d'entretien subsiste après la majorité. Si les parents refusent cette aide, le jeune majeur peut faire appel au juge aux affaires familiales qui, en fonction des résultats et de l'âge du jeune, peut contraindre les parents à lui verser une pension selon leurs ressources.

Les parents ne peuvent délaisser leur enfant. Si les parents ou la personne ayant l'autorité parentale sur un mineur de moins de 15 ans privent celui-ci d'aliments et de soins au point de compromettre sa santé, ils risquent 7 ans de prison, peine portée a 30 ans de réclusion criminelle si cette situation a entraîné la mort.

Le fait, pour le père ou la mère, sans motif légitime, de se soustraire à leurs obligations (abandon de famille, non-paiement de pension alimentaire par exemple) au point de mettre en péril la santé, la sécurité, la moralité ou l'éducation de leur enfant mineur, est puni de 2 ans d'emprisonnement.

Si l'enfant a été confié à un tiers par une décision de justice, si les parents sont décédés ou ont été déchus de leur autorité parentale avec nomination d'un tuteur, les devoirs des parents sont repris par les nouveux détenteurs de l'autorité parentale.

Une responsabilité morale

Les parents, responsables de leurs enfants, peuvent en conséquence surveiller leurs activités. S'ils estiment que certains engagements de leur enfant mineur peuvent aller contre ses intérêts et lui porter préjudice, ils peuvent lui interdire et même faire intervenir la justice pour trancher. Par exemple, ils peuvent s'opposer à une activité associative ou politique. Ils peuvent empêcher leur enfant d'adhérer à une secte. À l'inverse, les enfants mineurs peuvent saisir le juge des enfants si leurs parents veulent les obliger à rejoindre une secte avec eux. Dans ce cas, c'est souvent l'un des deux parents (s'il y a séparation) ou les grands-parents qui effectuent cette démarche.

Une responsabilité envers la société

Les parents sont responsables civilement des actes de leur enfant mineur. C'est-à-dire que si celui-ci est condamné à une amende, à rembourser des dégâts, à indemniser une personne, à rembourser un chèque sans provision, les parents devront payer. À moins qu'ils ne prouvent qu'ils ne pouvaient empêcher la faute, auquel cas le mineur devra payer sur ses biens actuels ou futurs.

Le devoir de protection des parents a des limites, en particulier si leur enfant commet des infractions.

Les parents ont plutôt tendance à essayer de tout arranger, en proposant, par exemple, à la victime d'un vol ou d'une dégradation de la dédommager (si, bien sûr, la police n'a pas encore été prévenue).

Mais les parents les plus compréhensifs se lassent un jour si leur enfant fait des «bêtises» à répétition.

Certains parents de toxicomanes, voyant leur enfant détruire sa santé et multiplier les vols pour acheter de la drogue, ont fini par en parler à la police ou à la justice, afin qu'il soit pris en charge par le juge des enfants qui pourra l'obliger à se soigner.

Les mots et les expressions

1. Cherchez les équivalents dans le texte.

a to feed, lodge and bring up
b to pay maintenance
c to the extent of
d non-payment of maintenance
e a guardian
f duties
g to be prejudicial
h to become a member of
i in opposition
j who take these steps
k a fine
l to refund
m tend to
n to give compensation
o most understanding

Les faits et les opinions

2. Relisez la section «Une responsabilité matérielle». Dans celle-ci, on y mentionne les peines (incluant de prison) risquées par les parents qui ne respectent pas leur devoirs. En voici des exemples pratiques. Déterminez quelle est la faute en lisant le texte avec soin et écrivez la peine risquée.

Exemple: Le père, sans raison, arrête de payer la pension alimentaire de son jeune fils: **deux ans**

a Un petit garçon meurt parce que ses parents n'ont rien fait pour le soigner.
b Des parents font faire des activités dangereuses à leurs enfants et un d'eux se casse la jambe.
c Bien qu'ils en aient les moyens, des parents ne donnent pas assez à manger à leurs enfants et ils sont en mauvaise santé à cause de ça.
d Bien qu'ils en aient les moyens, des parents refusent toute aide à leur fille de dix-huit ans qui veut aller à l'université.

3. Lisez la section «Une responsabilité envers la société» et répondez brièvement aux questions suivantes.

a Dans quel cas est-ce que les parents ne sont pas responsables des mauvais actes de leurs enfants mineurs (moins de dix-huit ans)?
b De quoi la plupart des parents se lassent-ils?
c Qu'est-ce que font beaucoup de parents de toxicomanes?

Texte D: «Pourquoi ma mère m'a fait ça?»

Tiré de *L'Express*, janvier 1993

Cet article raconte la terrible histoire de David Bisson qui, pendant dix ans (de l'âge de deux ans à douze ans), a été si maltraité par sa mère qu'on n'arrive pas à l'imaginer, surtout pendant si longtemps. Lisez et soyez choqué.

«Pourquoi ma mère m'a fait ça?»

Il a 22 ans, un visage encore adolescent, mais son regard, aigu, opaque, interdit toute niaiserie. Aux aguets, il renifle son interlocuteur. Il le jauge. On ne la lui fait pas. Enfin, il parle doucement, tout doucement – juste un filet de voix sans complaisance pour dire l'horreur de son passé.

C'est à L'Express qu'il donne sa première interview, à la veille de Noël.

D'autres l'ont traqué sans succès jadis, aux portes du foyer où il venait d'être placé. A cette époque, tous les médias parlaient de lui. C'était en 1982. Il avait 12 ans. De lui, on ne connaissait qu'un prénom : David. Et – souvenez-vous – un surnom qui sidéra la France: « L'enfant du placard ». Il venait de s'évader de chez lui, par miracle. Et les Français, stupéfaits, découvraient que les démons intérieurs d'une mère pouvaient la conduire à torturer un enfant, jusqu'à le cacher dans un réduit pendant de longues années. Ils découvraient aussi qu'en 1982, en région parisienne, en pleine ville, un enfant pouvait échapper au filet social: ni l'école, ni le fisc, ni les services sociaux, ni les voisins, ni les amis des parents de David, ni même la femme de ménage occasionnelle ne soupçonnaient son existence. Comment? Pourquoi? Au procès, en 1985, on entendit la mère de David, Françoise Bisson, cette très jolie femme qui avait la réputation d'adorer les enfants et de choyer le seul fils qu'on lui connaissait: Laurent, de dix-huit mois plus jeune que David, son demi-frère. On entendit le beau-père de l'enfant du placard, Claude Chevet, gérant d'un supermarché de Dourdan (Essonne) où sa femme était caissière. Enfin, à huis clos, David et son petit frère témoignèrent. Juste avant, Laurent supplia: « Tu dis ça, mais tu ne dis pas ça. . . »

Face aux juges, saisis d'admiration par la maturité de ce gamin pâle, David ne charge pas ses parents. Au contraire. Il demande l'indulgence. Il assure qu'il a besoin d'une mère. Il veut reconstruire sa famille. Il espère en avoir fini avec la haine. Il a pardonné.

David, qui passa son enfance battu, méprisé, enfermé dans un réduit, se confie à *L'Express*. Dix ans après s'être libéré, il veut en finir avec la haine.

Mais il n'a pas dit toute la vérité. « Ma mère a eu la chance que j'aie bon caractère, murmure-t-il. Sinon, je l'aurais envoyée en prison pour vingt ans. » Après le procès, le silence retombe sur cette affaire. David retourne à son foyer, où de remarquables éducateurs l'aident à rattraper le temps perdu dans son placard. Et le psychiatre Tony Lainé continue de le soutenir. David écrit au garde des Sceaux pour lui demander de libérer sa mère. Condamnés à sept ans de réclusion, Françoise Bisson et Claude Chevet sortent de prison à la fin de 1987. Pendant un an, David tente de tisser des liens avec sa mère. Son frère et lui vont la voir régulièrement: « C'était une aventure d'essayer de construire un truc avec elle! » Un jour, il craque: il lui demande « pourquoi elle a fait ça ». Il lui demande qui est son vrai père. Elle ne répond pas. Quand David la rappelle, un peu plus tard, elle a déménagé. Il ne la reverra plus. Elle a disparu. « Je suis déçu », dit-il sobrement. Laurent, aujourd'hui, vit en Touraine avec son père, Claude Chevet: David les a vus, leur a téléphoné. Eux ne se manifestaient jamais. En 1989, David s'est lassé. « Finalement, ma mère et mon beau-père se sont enfuis comme des voleurs, une fois que je les ai relâchés de prison. » Ils ne l'aideront pas à poursuivre des études, ainsi qu'il en rêvait. D'abord tuciste, il va de petit boulot en petit boulot: manutentionnaire dans une usine de pièces détachées, commis de salle à Corbeil (Essonne). Il est à présent garçon dans un restaurant de la banlieue Sud.

Devenu adulte, il doit se débrouiller, surtout, avec son passé: « J'avais l'impression d'être tout seul avec mon histoire », dit-il. Alors, cette vérité qu'il avait atténuée au procès pour protéger ses tortionnaires, il a fini par l'écrire: « Je me sens mieux, maintenant. » Lentement, en extirpant de sa mémoire ces images qui hantent encore ses nuits, il a raconté sa vie à une psychologue, Evangéline de Shonen, qui lui a prêté sa plume. Cette fois, l'enfant du placard resurgit du silence avec son nom entier: David Bisson. « L'Enfant derrière la porte » (Grasset) est un beau livre, sans pathos, bouleversant d'intelligence.

David Bisson raconte comment sa mère est venue un jour le chercher chez sa nourrice pour le ramener chez elle. Il devait avoir un peu plus de 2 ans. « Je ne voulais pas retourner avec elle. J'étais déjà très obstiné pour les choses du cœur. Elle a dû vivre avec moi une grande déception. Elle en est peut-être devenue folle. » De père inconnu, David est né à Angers, au hasard des voyages de sa mère, qui travaillait dans les wagons-lits. Françoise Bisson, à la clinique, a voulu abandonner son enfant. On l'en a dissuadée. Dix jours plus tard, elle le plaçait en nourrice.

Mais, deux ans après, Françoise vit enfin une relation stable avec un homme, Claude Chevet, dont elle a un bébé, Laurent. Ensemble, ils décident de récupérer David. L'enfant a du mal à « avaler » la situation: il n'arrive pas à manger, ou très lentement. Pas encore vraiment propre, il s'oublie parfois. Alors, les coups commencent à pleuvoir.

Les raclées, puis la barre de fer sur laquelle il faut rester agenouillé des heures. Bientôt, David n'a plus de lit. Il doit dormir par terre dans la salle de bains ou dans l'entrée, enroulé dans un tapis. Pendant la journée, les deux enfants vont chez une nourrice. Un soir, David confie à la fille de cette femme les traitements qu'il subit. Françoise Bisson l'apprend. Elle l'enferme à clef dans le cabinet de toilette. Il a 4 ans. Pendant huit ans, il restera emprisonné, d'abord dans cette salle de bains où il vit enchaîné à la tuyauterie, dormant à même le sol, avec, pour se nourrir, une écuelle dans laquelle sa mère dépose une mixture de restes. Parfois, elle le détache pour le laver, à l'eau froide. Il lui prend surtout des rages terribles : elle le force à réingurgiter ses vomissures, lui plonge la tête sous l'eau ou le bat à mort. Un jour, elle lui maintient les mains sous l'eau brûlante. De ces mains encore aujourd'hui abîmées David aura du mal, plus tard, à ne plus avoir honte. Est-ce à cause de ces stigmates que Françoise Bisson ne parviendra jamais à sortir de l'engrenage? En 1979, cinq ans plus tard, David change de prison. Attaché au lit de sa mère, il dort sous ce sommier où ses parents, parfois, font l'amour. Puis, lorsque David a 11 ans, la famille quitte Neuilly-sur-Marne pour Brétigny-sur-Orge: il est enfermé dans un placard de 1 mètre sur 2, dans le noir. Là, on ne le bat plus. « J'étais oublié; c'était pire », dit-il. Il y restera jusqu'au jour où sa mère oubliera aussi de tourner la clef du réduit. Déjà, deux ans avant, il s'était échappé par la fenêtre : une chute de deux étages qui l'avait conduit à l'hôpital. On l'y avait soigné sous le nom de son frère. Avant de diagnostiquer des « mauvais traitements ». Et de le rendre à sa mère...

Pendant huit ans, David aura été gommé, rayé, rangé comme un objet. « Jamais ma mère ne m'a appelé par mon prénom, précise-t-il. Elle disait ''l'autre'', ou ''l'autre con''. » Pendant huit ans, « l'autre » a vécu par procuration. Hors du temps, il a simplement entendu grandir son frère, couvé, dorloté, couvert de cadeaux pour Noël. Il a entendu les visites des amis, la télé en marche, les disputes du couple. Il a compris la lâcheté de son beau-père, l'impuissance de son petit frère: ces deux-là le détachent parfois, en l'absence de la mère. Ils sont pétrifiés par la fureur lisse de Françoise Bisson. « Quelle actrice ! soupire aujourd'hui David, à propos de sa mère. Hyperintelligente, c'était une dame coquette, propre sur elle, propre chez elle, maniaque. Elle jouait le jeu de la personne convenable et gentille. » Et il ajoute: « Quel scénario hyper-bien monté! »

UN PETIT CHAT SAUVAGE

Quand il est sorti de son cauchemar, il a dû apprendre à lire, à écrire, à détendre ses membres. Car c'est un petit chat sauvage que les habitants d'un pavillon ont découvert caché au fond de leur jardin. De ces huit ans derrière sa cloison, David a gardé une exceptionnelle acuité des sens. « Je vois très bien dans le noir » dit-il. Il était parvenu à détecter la couleur des voitures qui passaient au bas de son immeuble dans les reflets des rayons de soleil filtrés par le volet. Mais il allume une lampe pour s'endormir. On lui a volé son histoire : il se passionne pour les livres d'Histoire. Sa mère le vêtait seulement d'un slip, d'un tee-shirt et, parfois, d'un vieux pull de son frère : le petit vengeur de 12 ans qui voulait être policier rêve aujourd'hui d'habiller les autres, d'apprendre la couture. Il a vu la haine se déchaîner autour de lui. Lui se contrôle toujours : « Ma rancœur, j'ai appris à la garder pour moi », confie-t-il en souriant. Il lui manque une incisive, cassée par un coup de pomme de douche. On va lui en mettre une neuve, juste à temps pour passer à « La Marche du siècle », le 27 janvier : David est d'accord pour parler au nom de tous ces enfants qu'on traite « comme des bestiaux ». Obsédé de liberté, il ne supportera plus jamais, jure-t-il, l'humiliation: « Ce n'est pas facile, dans le travail. Lorsqu'on me donne un ordre, je ne réponds pas. Je suis sensible à la façon dont on me demande les choses. Quoi qu'il arrive, je garderai la tête haute. » Mais, si sa mère lui fait signe, un jour, il ne lui tournera pas le dos.

Les mots et les expressions

1. Cherchez les mots et les expressions suivants, selon leur traduction anglaise OU une expression synonyme en français.

a silliness
b he's no fool
c le 24 décembre
d where he'd just been put
e at the time
f a nickname
g for many years
h the stepfather
i responsable d'une grande surface
j pas du tout
k the whole truth
l visit her
m disappointed
n d'un job à l'autre
o I feel better
p qui écrit pour lui
q to bring him back home
r on l'a convaincue de ne pas le faire
s sur le sol
t she locks him up
u not to be ashamed any more
v to relax his limbs
w dans l'obscurité
x around him
y sensitive
z whatever happens

Les faits et les opinions

2. Voici une liste d'années dans la vie de David et des faits qui correspondent à chacune. Relisez l'article pour les associer correctement.

a 1970
b 1972
c 1974
d 1979
e 1980
f 1981
g 1982
h 1985
i 1987
j 1989
k 1993

i David arrive à s'échapper avec succès cette fois-ci
ii sa vie de prisonnier commence
iii sa mère et son beau-père sortent de prison
iv l'année de sa naissance
v il passe à la télévision pour défendre les enfants maltraités
vi le dessous du lit devient sa nouvelle prison
vii David abandonne les contacts avec sa mère
viii sa mère le reprend à sa nourrice
ix la première évasion de David
x le procès de sa mère et de son beau-père
xi un placard devient sa nouvelle prison

3. Relisez la section qui raconte les mauvais traitements que David a subis (la troisième colonne principalement) et donnez les renseignements requis.

a Le temps que David a passé en nourrice
b Le nom de son beau-père
c L'âge de son demi-frère quand sa mère l'a ramené
d L'endroit où il dort après avoir perdu son lit
e La raison pour laquelle il a les mains abîmées
f Sa dernière «prison»
g La faute de l'hôpital où il a été soigné
h La raison pour laquelle il a pu s'échapper

4. Relisez les deux premières colonnes qui nous racontent ce qui s'est passé après que David se soit finalement échappé. Voici des phrases qui résument les événements. Mettez-les dans le bon ordre chronologique.

a Il trouve un travail de serveur.
b Il écrit pour faire libérer sa mère au bout de deux ans de prison.
c Il vient de publier un livre sur ce qui lui est arrivé.
d Sa mère est jugée.
e Sa mère n'a aucune gratitude pour ce qu'il a fait pour elle.
f Son frère se met du côté de ses parents.
g Son frère se met de son côté.
h Sa mère est condamnée à sept ans de prison.
i Sa mère, son beau-père et son frère l'abandonnent tous.

5. Traduisez en anglais le passage suivant qui correspond à la fin de l'article, de «Obsédé de liberté . . . jusqu'à . . . il ne lui tournera pas le dos.»

Imaginez. . .

6. Finalement, en groupes, dressez une liste des arguments POUR et CONTRE l'attitude si compatissante de David vis-à-vis de sa mère. Est-ce que vous êtes d'accord avec lui? Est-ce que vous le comprenez? Qu'est-ce que vous auriez fait à sa place?

Texte E: *Je commence demain*

Tiré de *Entre gris clair et gris foncé*, Jean–Jacques Goldman, 1987

Il arrive toujours un moment où l'on se dit que nos parents avaient raison après tout et qu'il est temps qu'on fasse ce qu'ils disent. Il faut prendre de bonnes résolutions, «se ranger des casiers». C'est ce que Jean Jacques Goldman nous dit dans sa chanson *Je commence demain.*

Les mots et les expressions

1. Après avoir lu ou écouté la chanson une première fois pour la découvrir, lisez ou écoutez-la pour mettre les mots qui manquent. Tous ces mots ont en commun le fait qu'ils sont des verbes au subjonctif et presque tous suivent l'expression *il faudrait que je/j'. . .* Pour vous aider, le premier a été fait pour vous et les infinitifs des verbes vous sont donnés à la fin.

Faudrait que j'me **clôture**
Faudrait que j'......... du bois,
Que j'me .... en costume
Et que je .... plus droit.

Faudrait que j'......... plus sage,
Que j'......... plus raisonnable à mon âge.

Faudrait que j'......... la route,
Et que j'......... ma guitare,
Faudrait que j'les ....
Avant qu'il .... trop tard.

Faudrait que j'......... plus sage,
Que j'......... plus raisonnable à mon âge,

J'sais bien, j'sais bien, j'sais bien,
Je commence demain.

Faudrait que j'......... une femme,
Une gentille, une «maman»,
Faudrait que j'......... ces dames
Qui m'font rougir le sang.

Faudrait que j'......... plus sage,
Que j'......... plus raisonnable à mon âge,

J'sais bien, j'sais bien, j'sais bien,
Je commence demain.

Faudrait que j't'.........

couper devenir écouter être marcher mettre oublier poser quitter trouver

Votre professeur peut vous fournir le texte complet de la chanson.

Imaginez. . .

2. a Maintenant, c'est à votre tour de prendre de bonnes résolutions. Ecrivez-en dix en commençant à chaque fois par *Il faudrait que je/j'*.

b Finalement, mettez toutes les résolutions de votre groupe en commun, au tableau. Ça en fait combien en tout? Lesquelles reviennent-elles le plus souvent?

Sujets de rédaction/coursework

1. Pour les Français, encore à l'heure actuelle, la famille est la valeur la plus importante: la cellule de base de la société.

Pour vous aider:

- Tout d'abord, il vous faut des statistiques; prenez un livre comme *Le nouveau Guide France* ou *l'Etat de la France* et lisez ce qu'il dit sur la famille et les statistiques qui vont avec: l'importance de la cellule familiale, le nombre de mariages, de naissances, de divorces, etc.
- Prenez aussi en ligne de compte ce que vous avez lu dans les activités qui vont avec ce dossier.
- Faites des comparaisons avec les autres pays européens et tirez les conclusions.
- Essayez aussi de préparer un questionnaire pour demander à des Français d'âges différents leur avis sur ce qu'est la cellule familiale et comment ils perçoivent qu'elle a changé.

2. Avoir seize et dix-sept ans en France à l'heure actuelle

Pour vous aider:

- Tout d'abord, rassemblez autant de faits que vous pouvez sur les adolescents en France: leurs droits, leurs relations avec leurs parents, le système scolaire, les loisirs qu'ils aiment, etc.
- Pour ce faire, utilisez les documents de ce dossier et lisez les sections qui portent sur ce sujet dans les livres de la bibliographie auxquels vous avez accès.
- Lisez aussi des magazines français qui sont destinés aux jeunes de cet âge.
- Basés sur tous ces faits et chiffres, dressez le portrait des jeunes Français (ou plutôt *les* portraits car il n'y a pas de stéréotypes)
- Finalement, parce qu'on ne peut pas s'empêcher de la faire, établissez un parallèle avec les jeunes Britanniques du même âge (comparez et contrastez).

3. Les jeunes et leurs parents en France: un fossé des générations qui diminue ou qui s'agrandit?

Pour vous aider:

- Comme pour les autres sujets ci-dessus, il faut tout d'abord faire un petit travail de recherche pour connaître certains faits et chiffres sur les jeunes (nés à la fin des années 70 ou au début des années 80) et sur leurs parents (nés dans les années 50 ou 60).
- *L'État de la France* donne des statistiques très utiles sur la famille en comparant les années 70, 80 et 90.
- Surtout, faites votre propre enquête et interviewez les gens, non seulement sur place si vous allez en France mais aussi en envoyant votre questionnaire au lycée ou collège avec lequel votre collège a des liens.
- Par exemple, posez des questions sur les goûts musicaux, les loisirs, les relations, le mariage, l'idée du bonheur, etc. à des jeunes de votre âge et à leurs parents.
- Comparez ensuite les réponses et tirez vos conclusions.

Sources supplémentaires

L'état de la France
(La Découverte, 1996)

Le nouveau Guide France, Guy Michaud et Alain Kimmel
(Hachette Livre, 1996)

Le Cinéma de François Truffaut
(Dossier, pages 79–90 de ce livre)

Les droits des jeunes
(Les Essentiels n° 36, de Sylviane Baudois, Editions Milan–France, 1995)

La Gloire de mon père, La Place* et *Un Sac de billes
Photocopiable text dossiers, *Thèmes et Textes* Tutor's Book

Films à regarder
La Gloire de mon père (Yves Robert, 1990)
Le Grand Meaulnes (Jean-Gabriel Albicocco, 1967)
La Vie est un long fleuve tranquille (Etienne Chatiliez, 1987)
L'Argent de poche (François Truffaut, 1976)
Les 400 Coups (François Truffaut, 1959)
L'Enfance nue (Maurice Pialat, 1969)
L'Effrontée (Claude Miller, 1985)
Olivier, Olivier (Agnieszka Holland, 1991)

Association française pour la sauvegarde de l'enfance et de l'adolescence
28 Place Saint Georges
75009 Paris
France
Tél. 0033 1 48 78 13 13

Ministère de la Jeunesse et des Sports
78 rue Olivier de Serres
75015 Paris
France
Tél. 0033 1 40 45 90 00

Centres d'Information Jeunesse
101 Quai Branly
75740 Paris Cedex 15
France
Tél. 0033 1 44 49 12 00

Dossier: Nos amis les animaux?

Table des matières

Texte A: *Corrida*

Tiré de *Samedi soir sur la terre*, Francis Cabrel, 1994

Cette chanson a été écrite par Francis Cabrel pour protester contre les corridas, c'est-à-dire les courses de taureaux comme il y en a beaucoup en Espagne. Ce qui rend cette chanson particulièrement originale, c'est le fait que «je», dans la chanson, n'est ni une personne pour ni une personne contre les corridas; c'est le taureau lui-même, qui se demande si ce «monde est sérieux» de pouvoir «s'amuser autour d'une tombe» après avoir tué cruellement un animal.

Les mots et les expressions

1. Pour commencer, après avoir lu ou écouté la chanson au moins deux fois, étudiez-en les paroles et remettez les verbes au passé composé qui ont été enlevés (leur liste vous est donnée à la fin).

Depuis le temps que je patiente
Dans cette chambre noire
J'entends qu'on s'amuse et qu'on chante
Au bout du couloir;
Quelqu'un .... le verrou
Et .... vers le grand jour
.... les fanfares, les barrières
Et les gens autour

Dans les premiers moments ....
Qu'il fallait seulement se défendre
Mais cette place est sans issue
Je commence à comprendre
.... derrière moi
.... peur que je recule
Je vais bien finir par l'avoir cette danseuse ridicule . . .

Est-ce que ce monde est sérieux?

Andalousie je me souviens
Les prairies bordées de cactus
Je ne vais pas trembler devant
Ce pantin, ce minus!
Je vais l'attraper, lui et son chapeau
Les faire tourner comme un soleil

Ce soir la femme du torero
Dormira sur ses deux oreilles

Est-ce que ce monde est sérieux?

.... des fantômes
Presque .... leurs ballerines
.... fort dans mon cou
Pour que je m'incline
Ils sortent d'où ces acrobates
Avec leurs costumes de papier?
.... à me battre
Contre des poupées

Sentir le sable sous ma tête
C'est fou comme ça peut faire du bien
.... pour que tout s'arrête
Andalousie je me souviens
Je les entends rire comme je râle
Je les vois danser comme je succombe
Je ne pensais pas qu'on puisse autant
S'amuser autour d'une tombe

Est-ce que ce monde est sérieux?
Est-ce que ce monde est sérieux?

J'ai prié   Ils ont frappé   Ils ont eu   a touché   Je n'ai jamais appris
j'ai cru   Ils ont refermé   j'ai plongé   J'ai vu   J'en ai poursuivi   touché

Votre professeur peut vous fournir le texte complet de la chanson pour que vous puissiez vérifier vos réponses.

Les faits et les opinions

2. Les paroles de cette chanson nous racontent la mise à mort du taureau dans l'arène. En voici un récit écrit plus simplement. Essayez d'associer chaque phrase à une section du texte et réécrivez-les chronologiquement.

a Avant de mourir, il se rappelle sa jeunesse.
b Il veut tuer le torero.
c Il voit les spectateurs dans l'arène tout autour de lui.
d Il ne comprend pas qu'on puisse se réjouir de sa mort.
e Il attend longtemps dans une cellule de l'arène.
f Il n'en peut plus: il veut mourir.
g Il poursuit en vain les banderilleros.
h On le laisse enfin sortir de sa cellule.
i Le torero le tue en enfonçant une épée dans son cou.

Imaginez. . .

3. Le taureau n'est pas le seul animal qui soit maltraité; parmi tant d'autres il y a les renards, les cerfs, les animaux de laboratoire comme les rats ou les lapins, les poulets ou les veaux industriels. . .

Essayez de vous mettre à la place de l'un d'eux et, comme Francis Cabrel, écrivez leur malheureuse histoire comme si c'était vous («je. . .»).

Texte B: «Engraissage mode d'emploi»

Tiré de *Le Nouvel Observateur*, avril 1996

Voici un article compliqué mais informatif sur ce phénomène des années 90: les vaches folles, leurs causes et leurs conséquences possibles.

Pauvres bêtes!

Engraissage mode d'emploi

Veaux, cochons ou poulets, les animaux d'aujourd'hui ne mangent plus des aliments : ils ingèrent des « formules nutritives ». Les plus rentables

Evidemment, apprendre que les vaches mangent du mouton, des os, du bœuf, des plumes et autres déchets d'abattoirs vous fiche la tremblante. Carnivore, passe encore pour ce crétin de poulet qui picore de façon compulsive. Passe pour le cochon capable de faire ventre et groin avec tout et n'importe quoi. Mais la vache, cet herbivore notoire, au regard si doux, qu'on dirait sidéral, c'est dur à avaler. Car enfin aurait-on laissé ledit herbivore, royalement équipé de quatre estomacs, à ses graminées que le troupeau n'aurait point sombré dans la démence. Apparemment personne n'y a pensé. Ou plutôt, est-ce encore agro-industriellement correct, c'est-à-dire rentable? A quoi ça sert que monsieur Cargill ou Purina se décarcasse si c'est pour donner de l'herbe aux vaches quand on peut leur vendre les farines de viande? C'est comme donner du mou à son chat, du maïs à un poulet export et de la confiture aux cochons. Expliquons-nous avec le poulet. La vie de poulet, à baguenauder, insouciant comme un coq en pâte, c'est de la pub, du passé. Aujourd'hui le gallinacé vit un cauchemar tayloriste dans un hangar à vingt-cinq par mètre carré. Il est là pour pousser le plus vite et le moins cher possible. L'éleveur a un œil sur le calendrier et l'autre sur l'indice de consommation qui mesure le rapport entre le poids d'aliments ingurgités et celui du volatile.

Le poulet export dispose de trente-six jours (s'il ne meurt pas avant) pour peser un kilo quatre, se faire plumer, vider, mettre sous plastique et contribuer à la balance commerciale française. Autant dire que si on laisse faire la nature, on n'est pas rendu, ni payé. Dans son hangar, il suit un régime à base de granulés dont la composition est fixée par un logiciel intégrant les caractéristiques nutritionnelles des aliments, leur prix et les besoins en énergie, protéines, calcium, acides aminés de la volaille. La formule évolue en permanence suivant les cours des céréales, des protéagineux, des farines de viandes ou de poissons, sur le marché de Chicago. Progrès indéniable. Autrefois, en sacrifiant la volaille ou le bestiau maison sur l'autel d'agapes dominicales, on affirmait fièrement : « Au moins on sait ce qu'on mange. » Aujourd'hui, l'éleveur lui-même ignore bien souvent ce qu'il donne à ses volailles. Il achète une teneur en protéines, en glucides, en protides. « Dans ce secteur, la concurrence est très sauvage et la meilleure formule est celle dont le coût de revient est le plus bas », constate un professionnel. Comparée au poulet export, le poulet label (de première qualité) élevé en plein air mène pendant 75 jours une vie de sybarite, farine de viande interdite, céréales, tourteaux de soja...

La vie de cochon n'est plus une sinécure. Adieu glands, châtaignes, pain rassis, soupes de son et de légumes, bains de boue. Bonjour le monde aseptisé, désinfecté, passé au virucide, au fongicide, piloté par ordinateur de l'élevage hors sol. Quatre-vingts porcs sur cent sont nourris avec des aliments fabriqués industriellement. Essentiellement des céréales, des tourteaux (soja, tournesol, colza). Deux pour cent seulement sont encore engraissés de façon artisanale.

Paradoxalement, opprobre public et malédiction frappent les bovins, espèce qui, hormis le veau de batterie, échappe aux dérapages de l'élevage industriel. Les vaches allaitantes du Limousin, du Charolais, du Cantal, de l'Aveyron ou d'Aquitaine perpétuent la tradition. Herbe l'été, foin et concentré de céréales l'hiver. Pendant ce temps, leurs veaux tètent. Progressivement ils suivent leur nature d'animaux polygastriques amateurs de fourrages grossiers. Le veau de batterie, lui, est contraint de se nourrir comme un monogastrique jusqu'à l'abattoir, seul moyen pour que sa viande reste blanche. Le cheptel laitier, principalement de race Holstein, est élevé de façon plus intensive. La laitière est une usine à lait qu'il faut alimenter en énergie et en protéines, généralement d'origine végétale. Avant que la loi ne l'interdise, en 1990, il est arrivé qu'elles soient d'origine animale. Les élevages laitiers contaminés dans les Côtes-d'Armor l'ont été vraisemblablement par des farines de viande d'origine anglaise.

En Grande-Bretagne, l'élevage est plus intensif qu'en France. Les bovins anglais ont absorbé des centaines de milliers de tonnes de farines d'origine animale. Ces farines fabriquées à partir de résidus d'abattoirs et de carcasses d'animaux morts, notamment des moutons, sont à l'origine de la contamination du cheptel anglais. Produites par les équarrisseurs, elles étaient ensuite vendues à des fabricants d'aliments. Les Anglais, en pleine politique de dérèglementation, allaient prendre deux décisions lourdes de conséquences. Les équarrisseurs ont été autorisés à utiliser un procédé moins coûteux en énergie. Les matières étaient traitées à une température insuffisante pour détruire l'agent jugé responsable de la maladie. De 1980 à 1988, le procédé a ainsi eu largement le temps de s'installer. D'autre part, le gouvernement a privatisé les contrôles sanitaires des abattoirs et des négociants en viande. Résultat, le vétérinaire contrôleur est payé par la société contrôlée...

Le 3 avril, les ministres européens de l'Agriculture ont adopté une nouvelle méthode de production des farines animales jugée efficace contre les risques de contamination. Leur emploi reste toutefois prohibé dans l'alimentation des bovins. La Grande-Bretagne vient de les interdire aussi pour les volailles et les porcins. La France non. On peut le déplorer. Non seulement à cause des risques de transmissibilité, mais aussi parce que le consommateur, non le poulet, sera au bout du compte le dindon de la farce.

Les mots et les expressions

1. Cherchez, dans les trois premières colonnes du texte, les équivalents.

a of course
b sends shivers down your spine
c what's the use
d walking around
e lives a nightmare
f to weigh three pounds
g in the old days

2. Cherchez, dans le reste de l'article, les mots et les expressions synonymes de ceux ci-dessous.

a on disait avec fierté
b la compétition
c une vie sans soucis
d à part
e obligé
f plus intensivement
g probablement
h plus économique
i d'un autre côté
j c'est regrettable

Les faits et les opinions

3. Réécrivez plus simplement ces expressions tirées du texte en utilisant vos propres mots.

a passe encore pour ce crétin de poulet
b n'aurait point sombré dans la démence
c en sacrifiant la volaille ou le bestiau maison sur l'autel d'agapes dominicales
d le veau. . . est contraint de se nourrir comme un animal monogastrique
e les Anglais, en pleine politique de dérèglementation

4. Vrai ou faux? Si c'est faux, réécrivez l'affirmation pour qu'elle soit vraie.
a Les gens trouvent plus difficile d'imaginer que les vaches puissent manger de la viande, par rapport aux poulets ou cochons.
b Un poulet industriel est élevé en environ cinq semaines.
c Un poulet traditionnel est élevé en trois fois plus longtemps.
d Le cochon traditionnel a presque disparu.
e Tous les types de vaches françaises échappent à l'élevage industriel.
f Les vaches anglaises ont été contaminées malgré les règlements qui sont devenus plus sévères.

5. Lisez les phrases suivantes et recopiez-les dans le bon ordre chronologique.
a Les porcs sont presque tous élevés industriellement.
b La politique de privatisation du gouvernement anglais est indirectement responsable du problème.
c Rendre une vache carnivore choque l'opinion publique plus que bien d'autres pratiques de l'élevage industriel.
d Les vaches françaises, en général, sont encore élevées traditionnellement.
e Les poulets, qu'ils soient élevés en batterie ou en plein air, mangent des aliments industriels.

6. Complétez les phrases suivantes.
a Le poulet a la réputation d'être ....
b Le cochon a la réputation d'être ....
c Le pourcentage de cochons qui mangent .... n'est que ....
d Les bovins français ne sont pas concernés par les problèmes de l'élevage industriel, sauf .... et ....
e Le cheptel français a échappé au problème grâce à ....

7. Copiez et complétez le tableau ci-dessous en vous servant de l'article et d'autres sources de votre choix.

	poulet export	**poulet plein air**	**cochon industriel**	**cochon traditionnel**	**vache traditionnelle**	**veau de batterie**
durée de vie						
habitat						
alimentation						

8. Répondez brièvement aux questions suivantes.
a Pourquoi les gens trouvent-ils dur d'accepter que les vaches soient devenues carnivores?
b Pourquoi est-ce que le poulet export est le plus rentable?
c Comment les éleveurs s'assurent-ils que leurs veaux ont une viande blanche?
d Quelles sont les deux décisions que le gouvernement anglais a prises qui ont aggravé le problème?

9. Cet article présente des affirmations qui, comme toutes, comportent des arguments pour ou contre. Pour chacune des idées suivantes, écrivez un argument pour et un argument contre.
a Il faut élever les animaux destinés à la consommation de la façon la plus rentable.
b Les cochons actuels sont beaucoup plus surveillés.
c Il faut privatiser les contrôles sanitaires.

10. Traduisez en anglais le passage suivant, de «Avant que la loi ne l'interdise. . .» jusqu'à «. . .lourdes de conséquences».

11. Dans l'article, il y a trois expressions idiomatiques qui réfèrent à des animaux; en vous servant de dictionnaires et autres ouvrages de référence, cherchez leur équivalent anglais.
a donner de la confiture à un/aux cochon(s)
b vivre comme un coq en pâte
c être le dindon de la farce

Imaginez. . .

12. Ecrivez deux interviews basées sur la section du texte qui traite de l'élevage des poulets.

- Imaginez cinq questions que vous poserez:
  - à un éleveur de poulets export
  - à un éleveur de poulets en plein air
- Ecrivez les réponses des deux éleveurs.
- Enregistrez-les avec des partenaires!

13. Au début de l'article, de façon ironique, l'auteur donne des exemples d'animaux et de la nourriture qu'on leur associe.

- le chat mange du mou
- le poulet mange du maïs

Ecrivez cinq autres exemples basés sur des animaux courants (demandez à un(e) Français(e) si possible).

14. Relevez dans l'article les expressions qui permettent de lier les phrases ou les arguments entre eux. Après cela, employez-les dans vos propres mots.

Les quatre premières sont: Mais. . .
Car enfin. . .
Ou plutôt. . .
Expliquons-nous. . .

N.B. Il y en a environ dix en tout!

15. Traduisez en français les phrases suivantes.
a On the other hand, what use is a free-range chicken if you can't afford it?
b In the old days, people used to eat meat without worrying about anything. Nowadays, they are of course scared and, as a result, many become vegetarians.
c Pigs are known not only to eat anything but also to be fond of mud baths.

Texte C: *Les Jardins de la nuit*

Tiré du livre de José Cabanis

« Ce n'est pas rien d'être attendu. . . »

J'ai recueilli trois chats, j'en avais assez d'être seul. Le premier rôdait autour de la maison, il m'a suffi d'ouvrir une fenêtre, et j'ai ramassé le second sur la route. Ils ont amené le troisième. Je leur tiens de grands discours quand je descends, au petit matin, et que je les trouve devant la cheminée, chacun sur une chaise, ou couchés au bord de la cendre. Ils se sont habitués très vite, et installés. Quand je fais un tour dans le parc, ils me suivent d'un peu loin, m'observent, disparaissent, se querellent, chassent dans les taillis, et m'attendent, l'air indifférent, sur le chemin du retour. Je reste avec eux le dimanche, sans parler à âme qui vive, qu'à ces trois chats. En semaine, ils sont seuls toute la journée et vaquent à leurs affaires, mais j'ai soin de laisser ouverte une fenêtre de la cuisine. Quand je reviens, ils me guettent sur le pas de la porte, et je vois que ce n'est pas rien d'être attendu, même par trois chats. Tantôt ils semblent s'aimer tendrement, et dorment emmêlés dans un abandon charmant, tantôt ils se défient du regard et ne tolèrent pas qu'un autre les approche. Je reconnais tout cela. On ne sait jamais exactement ce qu'ils pensent, ils vivent comme ils l'entendent, mais j'ai l'impression qu'ils ne me quitteront plus. Je leur apporte quelques déchets de viande, je remplis leur bol de lait, je leur ouvre les portes quand ils veulent entrer ou aller flâner dans le parc, je les caresse s'ils le désirent, je leur parle s'ils me font l'honneur de monter sur mes genoux et de me regarder longuement de leurs yeux verts. J'ai le sentiment d'être utile à quelqu'un. Nécessaire, assurément pas, mais utile et apprécié quelquefois, et je finis par me contenter de peu.

Les mots et les expressions

1. Cherchez les mots et les expressions suivants.

a I was fed up with being alone
b in the early hours
c when I go for a stroll
d looking as if they don't care
e without talking to a soul
f sometimes. . . at other times. . .
g definitely not

Les faits et les opinions

2. Vrai ou faux? Corrigez les phrases fausses.

a L'auteur avait déjà un chat.
b Les chats se couchent près du feu.
c Ils ne peuvent pas sortir pendant la journée.
d Les chats s'entendent toujours très bien entre eux.
e L'auteur n'est pas très content de ses chats.

3. «Je leur apporte. . . de leurs yeux verts.» Commençant par «Hier. . .» mettez ces quelques lignes au passé, e.g.«Hier je leur ai apporté quelques déchets de viande. . .»

4. On dit que les chats sont indépendants et ne font rien que s'ils le désirent eux-mêmes. Relevez les phrases qui illustrent cette attitude vis-à-vis de leur maître. Il y a huit de ces phrases.

Imaginez. . .

5. Imaginez que vous êtes un de ces chats et racontez votre vie.

Texte D: «Nouvelles menaces sur les éléphants»

Tiré de *France-Soir*, 3 novembre 1997

Nouvelles menaces sur les éléphants

La levée partielle de l'embargo sur l'ivoire devrait donner du poil de la bête aux braconniers

La levée partielle de l'embargo sur l'ivoire fait redoubler d'activité les braconniers. C'est ce qu'affirme le Fonds international pour le bien-être des animaux (IFAW).

« Le massacre d'éléphants pour le commerce illégal d'ivoire est tellement préoccupant qu'il pourrait annoncer la fin de ces animaux dans certaines parties d'Afrique et d'Asie », dénonce le directeur de l'IFAW, David Barritt. Le braconnage est en augmentation en Zambie, au Kenya, en République centrafricaine, en République démocratique du Congo et au Ghana.

Tués

En juin, lors d'une conférence de la Convention sur le commerce international des espèces menacées (CITES), le Botswana, la Namibie et le Zimbabwe ont obtenu une levée partielle de l'interdiction qui frappait le commerce de l'ivoire depuis 8 ans. Cette levée, qui s'applique uniquement au commerce avec le Japon, et n'interviendra qu'après la mise en place de certains garde-fous, se fera vers la fin 1998 ou le début 1999. Cependant, dès l'annonce de cette mesure, les associations de protection des animaux prédisaient qu'elle créerait un « appel d'air » pour les braconniers.

Il faut se souvenir que plus de la moitié des 7 millions d'éléphants africains ont été tués par des braconniers en dix ans avant l'interdiction du commerce de l'ivoire par une convention internationale en 1989.

Quarante campements de braconniers, organisés par des chasseurs soudanais, ont récemment été découverts dans le parc national de Garamba, en République démocratique du Congo (ex-Zaïre), où un vol de reconnaissance a dénombré trente carcasses d'éléphants, assure l'association. « D'après nos informations, l'Egypte est le destinataire d'une grande partie de l'ivoire de contrebande », souligne David Barritt, qui avance les chiffres de vingt-cinq éléphants tués illégalement entre janvier et début juin au Zimbabwe, contre six tués en juin et juillet, soit une « augmentation de 50 % ».

Toutefois, ces chiffres sont contestés par le directeur de la faune au Kenya, le Dr David Western. Ce dernier affirme que seuls quatre éléphants par mois sont braconnés depuis la décision de la CITES, contre six auparavant. « Ce chiffre ne concerne que les parcs nationaux, rétorque David Barritt. Selon nos informations, vingt-neuf éléphants ont été massacrés sur des terres privées au Kenya depuis la réunion de la CITES ».

Les mots et les expressions

1. Cherchez les équivalents dans le texte.

a the partial lifting
b poachers
c welfare/well-being
d poaching
e endangered species
f safeguards
g more than half
h a 50% increase

Les faits et les opinions

2. Dans quel(s) pays cela s'est-il passé? Reliez les pays avec les faits. Notez que chaque fait peut correspondre à plus d'un pays.

a la Zambie
b le Kenya
c la République centrafricaine
d le Congo
e le Ghana
f le Botswana
g la Namibie
h le Zimbabwe
i l'Egypte

i une augmentation du braconnage
ii vingt-cinq éléphants tués illégalement
iii levée partielle de l'interdiction de la vente de l'ivoire
iv découverte de campements de braconniers
v une bonne partie de l'ivoire de contrebande arrive ici
vi massacre de vingt-neuf éléphants
vii trente carcasses d'éléphants

3. Répondez en français aux questions suivantes.

a Qui va profiter de cette levée partielle de l'embargo?
b Quel pays non-africain est impliqué dans le commerce de l'ivoire?
c Pourquoi les associations de protection des animaux craignent-elles cette nouvelle mesure?
d Avant la décision de la CITES, combien d'éléphants les braconniers tuaient-ils par mois dans les parcs nationaux au Kenya?
e Selon David Barritt, quel est le danger du commerce illégal de l'ivoire?

Texte E: «Un bébé dévoré par deux chiens»

Tiré de *Sud-Ouest*, 28 mai 1997

Des jagdterriers ont attaqué l'enfant qui dormait sur un canapé, chez ses parents près de Verdun. Le père a abattu les animaux

Un bébé dévoré par deux chiens

Thomas Parmentier, âgé d'un mois, dormait tranquillement dimanche après-midi sur un canapé quand il a été mordu à mort par deux jagdterriers, des chiens de chasse, à quelques mètres seulement de ses parents qui déjeunaient dans le jardin à Dugny-sur-Meuse, près de Verdun.

Habituellement, les deux chiens restaient dans un chenil fermé, mais comme les parents, Agnès et Eric, et la grande sœur de Thomas, Mélanie, 4 ans, étaient réunis pour profiter du soleil, la porte de l'enclos avait été ouverte. Les parents savaient qu'ils devaient les surveiller. Car souvent, les deux chiens, âgés de 3–4 ans, ne se contentaient pas de gambader dans le jardin, mais se sauvaient dans la forêt voisine de leur propriété située au lieu-dit de l'Ile.

Mâchoires

C'est d'ailleurs ce qu'a cru le père lorsque, ne voyant plus ses habituels compagnons de chasse, il est parti à leur recherche et a découvert son bébé. Il a appelé le SAMU* et les pompiers, mais il était trop tard : l'enfant était décédé.

Selon un gendarme, très secoué par l'image de l'enfant défiguré et gravement mutilé, les deux animaux se sont acharnés sur la petite victime, dont tout le village avait fêté quelques jours plus tôt la naissance. « Ils l'ont dévoré comme s'il s'agissait d'un os », a-t-il confié.

« Les parents du bébé sont tellement traumatisés qu'on n'a pas pu les entendre. On ne connaît donc pas encore avec exactitude les circonstances de ce drame », a poursuivi le gendarme, qui a avoué n'avoir pas osé poser toutes les questions nécessaires à l'enquête. « On verra plus tard. »

Hier, les parents de Thomas cherchaient à comprendre. Et s'ils ont abattu, par mesure de sûreté, les deux chiens qui ont des mâchoires très puissantes, ils ont affirmé que seulement la femelle, nommée Rita, a tué leur fils.

Les spécialistes sont formels: ces jagdterriers ne doivent jamais être pris comme animaux de compagnie. Le vétérinaire Luce Hennequin rappelle pour sa part que tous les chiens, et pas seulement les pitbulls ou les rottweilers, possèdent « un important potentiel d'agressivité ».

Intrus

« Il faut toujours se méfier de n'importe quel chien et protéger ce qui est petit et faible », souligne-t-elle. « A un mois, un bébé est nouveau dans une famille et il n'est pas toujours accepté. Il peut être pris pour un intrus par les chiens qui peuvent être jaloux ou comme une proie par des animaux qui sont avant tout des chasseurs. »

Sans expliquer les causes de drame, le Dr Hennequin estime qu'il faut aussi voir « le statut des chiens dans la maison ». « Il y a des chiens qui sont les patrons à la maison car leurs maîtres ne les empêchent pas de grogner, de montrer les crocs ou de monter sur les canapés ».

Une enquête a été ouverte par la gendarmerie afin d'essayer de comprendre le comportement meurtrier du ou des chiens à l'encontre du nouveau-né. Le parquet a été saisi, mais n'a pas ouvert d'information judiciaire, les causes du décès n'étant « absolument pas suspectes ».

*SAMU = Service d'Aide Médicale d'Urgence.

Les mots et les expressions

1. Copiez et complétez le tableau ci-contre.

Adjectif	**Adverbe**
a	tranquillement
b	habituellement
c nécessaire	
d puissant	
e	seulement
f formel	
g faible	
h nouveau	
i jaloux	
j	absolument

Les faits et les opinions

2. Lisez attentivement le texte et décidez: vrai ou faux?

a Le bébé dormait sur un sofa.
b Les parents surveillaient les chiens dans le jardin.
c Quand les services de secours sont arrivés le bébé était déjà mort.
d Le bébé était né quelques jours avant.
e On avait déjà donné un os aux chiens.
f Les parents n'ont fait piquer que la femelle.
g Des chiens risquent d'en vouloir à un nouveau-né.
h L'innocence des parents n'est pas en doute.

3. Copiez et complétez ce tableau sur les gens qui figurent dans l'article.

Personne	**Description/réaction**
a Thomas Parmentier	
b Agnès	
c	le père
d	la grande sœur
e Rita	
f Luce Hennequin	
g	secoué par l'horreur de l'image

4. Copiez et complétez ces phrases qui résument les faits.

a Les deux chiens n'étaient pas dans leur chenil parce que ....
b Quand le père ne voyait plus les deux chiens il ....
c En découvrant son bébé il ....
d Les gendarmes n'ont pas posé toutes les questions nécessaires parce qu(e) ....
e Par mesure de sûreté les parents ont ....
f Les chiens de chasse ne sont pas de bons animaux de compagnie à cause de ....
g Quand il y a un nouveau-né dans la famille, les chiens risquent d(e) ....

5. Traduisez en anglais la partie du texte «Selon un gendarme. . . On verra plus tard».

Imaginez. . .

6. En groupes discutez le sujet des animaux dangereux au foyer.

7. Rédigez une lettre au journal dans laquelle vous expliquez votre point de vue.

Sujets de rédaction/coursework

1. Le végétarisme en France

Pour vous aider:
- Le végétarisme est beaucoup moins répandu en France qu'en Grande-Bretagne. Tout d'abord, trouvez des renseignements (pour les deux pays) et tirez quelques conclusions.
- Prenez contact avec des végétariens en France et interviewez-les. Comparez et contrastez leur situation.
- Vous pourriez aussi obtenir un livre de recettes végétariennes françaises et, ici aussi, comparer et contraster.

2. La viande industrielle et la viande traditionnelle

Pour vous aider:
- Effectuez un travail de recherche sur ces deux types d'élevage.
- Décrivez les différents cas, incluant ceux qui se prêtent à l'élevage industriels plus que d'autres.
- Quelles sont les proportions et les tendances?
- Quelles sont les organisations pour et contre ces types d'élevage?
- Qu'en pensez-vous?

3. Les animaux persécutés

Pour vous aider:
- Dans les pays francophones comme en Grande-Bretagne il y a de nombreux animaux qui sont persécutés à des fins récréatives ou nutritives ou scientifiques, etc. Ce ne sont pas forcément les mêmes (par exemple les taureaux dans les corridas en France).
- Choisissez un animal ou un type de souffrance (par exemple la recherche scientifique) et, après avoir découvert les faits, exprimez les arguments pour et contre.
- Finalement, exprimez votre propre opinion.

4. Les Français et leurs animaux domestiques

Pour vous aider:
- Saviez-vous que les Français ont encore plus d'animaux domestiques que les Britanniques?
- Bien que vous puissiez faire une étude sur les animaux domestiques en général, nous suggérons que vous vous concentriez sur un animal de votre choix.
- N'hésitez pas à faire des comparaisons avec la Grande-Bretagne.

5. La fondation Brigitte Bardot et son travail

Pour vous aider:
- Cette fondation a été commencée par Brigitte Bardot, la célèbre actrice française des années 50 et 60. Elle est connue pour son amour des animaux et a débuté sa campagne en luttant contre le massacre des bébés phoques pour leur fourrure.
- Consultez leur site Internet et écrivez-leur (les adresses vous seront fournies) afin de pouvoir écrire des informations sur qui ils sont, quels sont leurs moyens, leurs combats, etc.

- Après cette partie descriptive, exprimez ce que vous avez découvert et ce que vous pensez de ce qui est bon et de ce qui est moins bon en ce qui les concerne (comment, d'après vous, ils pourraient s'améliorer).
- Et Brigitte Bardot elle-même? Que fait-elle dans tout cela?

6. La chasse et les Français: un passe-temps typiquement français ou un sport cruel?

Pour vous aider:

- Les Français aiment la chasse et c'est une activité qui est beaucoup plus répandue et beaucoup plus «populaire» qu'en Grande-Bretagne (les chasseurs proviennent de toutes les couches sociales). Il suffit d'aller chez un marchand de journaux pour constater le nombre de revues consacrées à cette activité.
- Quels sont les chiffres et les faits?
- Interviewez des chasseurs français.
- Quelles conclusions tirez-vous? Quel est votre avis?

7. Beaucoup de scientifiques soutiennent les expériences faites sur les animaux.

Pour vous aider:

- Quels sont les arguments pour et contre les expériences scientifiques sur les animaux?
- Réunissez des informations et défendez les deux positions en vous appuyant sur leur arguments publiés (que vous trouverez en leur écrivant ou sur l'Internet).
- Qui l'emporte? Est-ce surtout un combat moral à l'heure actuelle?

Sources supplémentaires

Europe conservation
BP 44
41260 La Chaussée St Victor
France
Tél. 0033 2 54 58 22 22

Société Protectrice des Animaux
39 Boulevard Berthier
75847 Paris Cedex 17
France
Tél: 00 33 1 43 80 40 66
URL: www.spa.asso.fr

Fondation Brigitte Bardot
45 rue Vineuse
75116 Paris
France
Tél. 0033 1 45 05 14 60

Fondation 30 Millions d'Amis
BP 107
75749 Paris Cedex 15
France
Tél. 0033 1 45 38 98 98

Société Québécoise pour la Défense des animaux
847 rue Cherrier, bureau 102
Montréal
Québec
H2L 1H6
Canada
Tél. 00 1 418 524 1970

Société Nationale pour la Défense des Animaux
BP 30
94301 Vincennes

Rassemblement des Opposants à la Chasse (ROC)
61 rue du Cherche Midi
75006 Paris
France
Tél. 0033 3 23 62 31 37

Film à regarder
L'Ours (Jean-Jacques Annaud, 1988)

Dossier: Le monde du travail

Table des matières

Texte A: «Les faucheurs»

Tiré du livre *Mémé Santerre* de Serge Grafteaux

L'auteur de ce livre, Serge Grafteaux, rend visite à Marie-Catherine Santerre, 85 ans, lorsqu'elle est en traitement dans l'hôpital d'un ami médecin. Elle lui parle pendant des heures de sa vie, une vie simple et rude. Le travail y joue un rôle primordial – quinze heures par jour au moment des récoltes en été.

Les faucheurs

Marie-Catherine Santerre a quatre-vingt-cinq ans lorsqu'un journaliste, Serge Grafteaux, fait sa connaissance par l'intermédiaire d'un ami, médecin-chef dans un hôpital où elle est en traitement. Il l'écoute parler des heures durant, prend des notes et enregistre ses propos au magnétophone; à partir des différents éléments qu'il a recueillis, il rédige un récit de la vie de Mémé Santerre. Une vie simple et rude, rythmée par le travail: l'hiver dans une cave, devant un métier à tisser; l'été dans les champs du nord de la France, à raison de quinze heures par jour.

Au fur et à mesure que le soleil, dès l'aube, se faisait plus vif, que le ciel bleu, dès dix heures, semblait chauffé à blanc, petit à petit, approchait le temps de la moisson.

Quelques jours avant arrivaient à la ferme de grands gaillards velus, parlant et riant fort: c'étaient les faucheurs, venus des Flandres, avec leur sac où ils transportaient leurs propres lames, luisantes comme de l'argent. Ils les repassaient d'un geste large sur la pierre à aiguiser qui trempait dans une corne pleine d'eau, attachée à leur ceinture.

Non seulement ils apportaient leurs faux, mais aussi les manches de bois formés à leurs mains, et qui brillaient comme des meubles bien cirés.

L'un des faucheurs avait expliqué à papa que ces outils étaient précieux. Sans sa propre faux, le meilleur d'entre eux devenait malhabile. Il fallait qu'il trouve, en balançant l'outil, avant de commencer, le renflement dans le bois, que la paume gauche épousait, tandis que les doigts de la main droite venaient s'encastrer dans les petits dénivellements que les heures de travail y avaient marqués.

Nous étions surpris par la vie des faucheurs, toujours prêts à la gaudriole, à ce point que les saisonniers n'aimaient pas trop laisser leurs femmes et leurs jeunes filles sans surveillance, lorsqu'ils rôdaient dans la cour.

A la ferme, ils logeaient tous dans la même grange, couchant dans la paille. Le matin, ils venaient se laver et se raser à la pompe, s'aspergeant le torse d'eau, tout en chantant. Ils chantaient beaucoup et mangeaient de même. La ferme les nourrissait et on était stupéfaits de les voir avaler autant en un seul repas.

Le matin, c'étaient de larges bols de café au lait avec du pain et du fromage, dès le lever. A huit heures, ils prenaient une épaisse soupe bouillante puis, à dix heures, des tartines de pain et de viande arrosées de bière.

A treize heures, leur déjeuner se composait de lard, de pommes de terre bouillies, de fromage en énorme quantité, et d'un pot de café fumant. L'après-midi, vers quinze heures, ils revenaient à la ferme pour « l'émiettée »: des pains entiers coupés dans d'énormes saladiers de lait cru. Et à vingt-deux heures, à la fin du travail, ils dînaient avec, cette fois, de la viande, des œufs, du bouillon.

Pour nous qui n'étions pas habitués à un pareil régime, c'était une vraie débauche. Mais il faut dire que faucher est un travail pénible et difficile. Les fermiers le payaient bien, parce que, disaient-ils, « un bon faucheur n'est pas facile à trouver ».

Ils étaient solides comme des rocs, ces grands hommes blonds et rieurs. Le soir, dans la cour, après le dîner, tout en fumant leur pipe, ils trouvaient encore la force de chanter des airs de leur pays, d'une voix rude et joyeuse.

Mon père les estimait, les faucheurs. Il admirait leur courage; et pourtant, lui-même n'était pas fainéant. Il leur reprochait simplement d'être portés à la plaisanterie avec les femmes, ce qui ne lui plaisait guère.

Bien qu'ils se couchassent tard, les faucheurs étaient exacts et fidèles au poste le lendemain. Dès l'aube, en bataillon, sur un rang, ils étaient tous là sous le soleil déjà fort. Et, au signal du maître d'équipe, ils partaient face à l'immensité blonde et mouvante qu'ils allaient coucher. Devant eux, les faux dansaient d'un mouvement continu en un étrange ballet luisant, tranchant les épis dans un curieux sifflement.

De temps en temps, ils s'arrêtaient; et les pierres d'émeri résonaient, claires, sur le métal dont chaque faucheur biaisait le fil à sa guise. Ensuite, le ballet reprenait, les faux rajeunies sifflant de plus belle et continuant leur œuvre de destruction dans les épis lourds et dorés.

Ah! les faucheurs! je les ai bien regrettés quand ils sont partis pour ne plus revenir, chassés par l'énorme bête mécanique que je vis arriver bien plus tard devant moi. Elle en remplaçait dix, de ces hommes-là, mais elle ne chantait pas.

Et moi derrière, j'étais assourdie par le bruit des couteaux allant et venant, et écœurée par l'odeur de l'huile que le conducteur versait dans les flancs peints en vert de la curieuse machine.

Les mots et les expressions

1. Cherchez les mots et les expressions synonymes à ceux ci-dessous.

- **a** little by little
- **b** fitted exactly
- **c** singing all the while
- **d** as soon as they were up
- **e** washed down with beer
- **f** non-pasteurised milk
- **g** it has to be said
- **h** he was no slacker himself
- **i** at the crack of dawn
- **j** the dance began again

2. Enumérez tous les outils trouvés dans le texte et, à l'aide d'un dictionnaire, trouvez leur équivalent en anglais.

3. Dans sa description du travail des faucheurs, Serge Grafteaux emploie des expressions très imagées d'ordre **militaire** et **artistique**. Relevez ces expressions et groupez-les dans les deux catégories. Comme travail supplémentaire vous pouvez aussi les traduire en anglais.

Les faits et les opinions

4. Copiez les titres suivants. Puis trouvez dans le texte les détails nécessaires pour dresser un portrait des faucheurs.

Description physique	**Logement et hygiène**	**Nombre et description des repas par jour**	**Aspects positifs du travail**	**Aspects négatifs du travail**

5. Les métiers. Le texte concerne le métier de ceux qui fauchent: «les faucheurs». En partant du même principe, à l'aide d'un dictionnaire, comment se nomme une personne qui. . .

- **a** . . .s'occupe de la couverture d'un toit?
- **b** . . .fabrique de la confiserie?
- **c** . . .livre les provisions?
- **d** . . .tient un restaurant?
- **e** . . .chante?
- **f** . . .enseigne dans un collège?

6. Répondez en français aux questions suivantes.

- **a** D'où venaient les faucheurs?
- **b** Dans quelles circonstances un faucheur serait-il malhabile?
- **c** Pourquoi les saisonniers ne voulaient-ils pas laisser leurs femmes et leurs jeunes filles avec les faucheurs?
- **d** Les faucheurs, comment mangeaient-ils?
- **e** Pourquoi les fermiers étaient-ils prêts à bien payer les faucheurs?

f Malgré son estime pour les faucheurs, il y avait une chose que le père de Mémé Santerre n'aimait pas chez les faucheurs – qu'est-ce que c'était?
g Pourquoi Mémé Santerre regrettait-elle l'arrivée de la moissonneuse mécanique?

Imaginez. . .

7. Imaginez que vous êtes Mémé Santerre, jeune fille, et écrivez votre journal intime au moment de l'arrivée des faucheurs. Racontez une ou deux journées en leur présence. Ecrivez 100–150 mots.

Texte B: «Entreprise, me voilà!»

Tiré de *L'Etudiant*, octobre 1997

Les mots et les expressions

1. Expliquez en vos propres termes les mots et les phrases suivants.
a ça ne mange pas de pain
b ex-soixante-huitard
c avec le trac d'une comédienne
d genoux en compote
e serrages de pinces
f la syndicaliste de choc
g l'ambiance est à la guerre de tranchées
h copiner avec les stagiaires

2. Relevez tous les mots qui désignent un emploi et donnez leur équivalent en anglais.

e.g. *secrétaire*: 'secretary'

Les faits et les opinions

3. Voici des titres pour chaque paragraphe dans l'article mais ils sont mélangés. A vous de les mettre dans le bon ordre.
a Etre en retard? Pas question!
b A chacun son boulot.
c J'ai peur!
d Comment m'habiller?
e Des excuses, des excuses!
f Et si on se serrait la main?
g Je t'aime – moi non plus.
h Il n'y a pas que le travail.

4. Alice, tout naturellement, se sent nerveuse lors de sa première journée au travail. Elle a le trac! Quels sont les signes visibles de son état d'âme?

e.g. Elle a du mal à trouver des vêtements convenables.

Entreprise, me voilà!

Alice, jeune ingénieur fraîchement embauchée dans une PME, écrira chaque mois à son amie Sophie pour lui faire partager délices et affres de ses débuts professionnels.

«Ma chère Sophie, je sais: c'est ma faute, c'est ma très grande faute et je bats ma coulpe. Je ne t'ai pas écrit depuis deux mois. Mais je suis littéralement submergée par les angoisses liées à mon arrivée dans le monde, ô combien étrange, de la vie de bureau.

Imagine, la veille du jour J: grosse panique. Comment vais-je m'habiller ?! J'étais comme retombée en enfance, telle une écolière qui se prépare fébrilement à la rentrée des classes. J'ai passé trois bonnes heures à ouvrir et refermer mon armoire avant de me décider. Je dois dire que, sur ce coup-là, ma mère a été efficace : elle m'a convaincu d'oublier le pantalon (« une concession aux conventions, ça ne mange pas de pain »). J'ai donc ressorti le petit tailleur beige qu'on avait acheté ensemble aux dernières soldes (tu t'en souviens?). Tout ce qu'il y a de plus classique.

Et puis, il y a eu la grande question: à quelle heure dois-je me réveiller pour arriver au bureau? Dans le doute, j'ai fait sonner le réveil à 7 heures, histoire d'être « right in time » pour prendre mes fonctions d'ingénieur en informatique chez SRDI (« Soyez réaliste, demandez l'impossible », la devise du fondateur de la boîte, ex-soixante-huitard pur et dur converti à la cause informatique).

Après quarante-cinq minutes de trajet, je suis arrivée une demi-heure en avance sur les lieux – en pleine zone industrielle, à l'opposé de la maison – avec le trac d'une comédienne, mains moites, cœur battant et genoux en compote.

Ma première journée s'est résumée à une visite guidée des services avec présentation à la chaîne des membres de l'honorable maison, une SSII, société spécialisée en ingénierie informatique, de quatre-vingt-dix personnes. Serrages de pinces, salutations plus ou moins distinguées, re-serrages de pinces et futurs collègues qui me reluquent comme une Martienne. Mais pourquoi la secrétaire m'a-t-elle lancé ce regard noir?

A l'heure où je t'écris je n'ai toujours pas retenu le quart des noms et des postes de tout ce petit monde. En revanche, je n'ai eu aucun mérite à repérer quelques piliers de la maison, ou plus exactement de la cafét' : à commencer par Louise, la syndicaliste de choc, qui a vite fait de me mettre au parfum de « l'horreur économique » qui se trame dans ces murs. Et puis, il y a le fayot de service, Gérard, qui présente tous les signes de l'incompétent patenté, sans oublier Francine, véritable cerbère, assistante en titre du directeur du département, le supérieur de mon boss. J'ai l'impression d'être dans une cour de récré. L'ambiance est à la guerre de tranchées entre monsieur Girardin, mon « hiérarchique », et le chef de service d'à côté. Depuis que je suis là, je ne les ai jamais vus s'adresser la parole, et c'est à celui qui dégainera le premier une nouvelle note de service. De quoi occuper à plein temps leurs secrétaires respectives...

Comment marche vraiment cette boîte? Qui fait quoi au juste? Et pourquoi tant de haine? Je navigue vraiment à vue, d'autant que l'organigramme remis par mon chef (« Tenez mon p'tit, ça a toujours le mérite d'exister ») est un galimatias d'une opacité remarquable. Sans grand rapport avec le véritable organigramme, officieux celui-là bien sûr. « La hiérarchie doit être... comment dit-on déjà... ''préservée'', mais il y a des limites à la rétention d'information. »

Comme disait notre prof de philo, quand on pose des questions, il en reste toujours quelque chose. J'ai décidé de le faire, y compris par des voies détournées : copiner avec les stagiaires et les secrétaires, brancher la réceptionniste entre deux appels et trois coursiers...! Bon, je m'arrête là pour aujourd'hui et j'attends de tes nouvelles. Heureusement, il y a une vie après le travail. C'est mon chef qui me l'a dit...

Comment marche vraiment cette boîte, qui fait quoi au juste...
... et pourquoi tant de haine? Je navigue vraiment à vue».

Texte C: «En Ile-de-France, c'est métro-«bureau»-dodo»

Tiré de *InfoMatin*, 1995

En Ile-de-France, c'est métro-«bureau»-dodo

La moitié des personnes qui travaillent en région parisienne sont affectées dans des bureaux, guichets, cabinets ou laboratoires. L'implantation en usine ou atelier ne représente que 10 % de l'activité

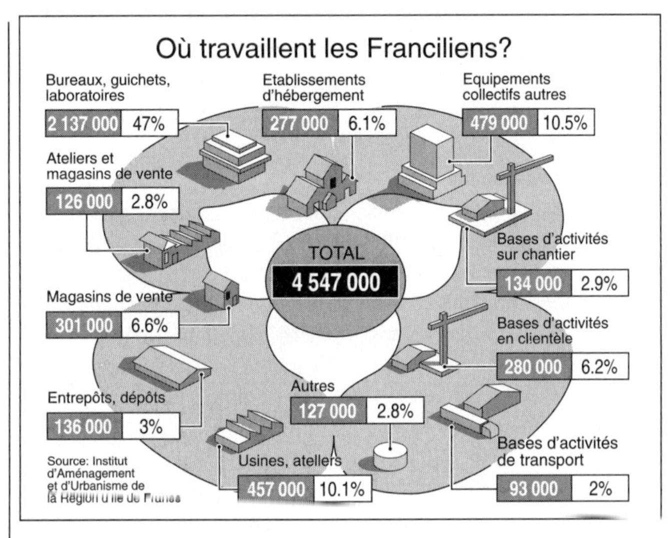

La moitié des Franciliens travaille dans des bureaux, 16 % ont des emplois non sédentaires. Une étude réalisée par l'IAURIF (Institut d'aménagement et d'urbanisme de la région Ile-de-France) fait état, en les classant, des divers lieux de travail fréquentés en région parisienne.

Grands gagnants, les établissements de bureaux. Outre qu'ils occupent une part considérable de l'immobilier affecté aux activités, ils accueillent 47 % des employés franciliens et 57,7 % des Parisiens. Dans la notion de « bureau » sont inclus les guichets, cabinets, offices professionnels et laboratoires dans la mesure où leurs locaux ne présentent pas d'aménagements particuliers.

Ces emplois sont majoritaires dans les secteurs public et semi-public. Sur dix employés, six sont en effet directement rattachés à des bureaux.

Viennent ensuite les équipements collectifs. Destinés à l'accueil du public, ils sont affectés pour l'essentiel à l'enseignement, à la santé et aux loisirs. Ils représentent le site de travail de 16 % de la population francilienne. Plus du tiers de ces emplois concerne des établissements qui offrent un mode d'hébergement (hôtels, hôpitaux, prisons...).

Chantier

Les usines ou les ateliers, à savoir les implantations ayant des activités de production, de transformation ou de réparation, viennent en troisième position. Ils accueillent 10,1 % des salariés, avec une pointe à 19,2 % en Seine-et-Marne. Un chiffre considéré comme modeste si l'on considère leur impact économique.

Enfin, un salarié sur sept est non sédentaire, c'est-à-dire qu'il exerce principalement son métier en dehors des locaux auxquels il est administrativement rattaché. Les activités de prestations en clientèle, telles que le nettoyage, la surveillance, l'aide à domicile ou les travaux d'installation et de finition du bâtiment, représentent 6,2 % de cette catégorie de salariés.

Les établissements spécialisés dans les travaux sur chantier et dans les activités du transport de marchandises ou de voyageurs regroupent respectivement 2,9 % et 2 % des emplois, ce dernier chiffre étant le plus bas en région parisienne.

Contradiction, un nombre non négligeable de salariés non sédentaires sont déclarés par des établissements dont l'activité est, par nature, sédentaire.

C'est le cas de 12,2 % de salariés, qui, bien que rattachés à des bureaux, ne les utilisent qu'occasionnellement. Au premier rang, les agents de commerce ou de représentation.

Les mots et les expressions

1. Cherchez les équivalents dans le texte.

a workplaces
b in as far as
c in the majority
d in the main
e over a third
f that is to say/meaning
g home-help
h not insignificant
i in first place

Les faits et les opinions

2. Vrai ou faux? Corrigez les phrases fausses.

a Plus de la moitié des Français travaillent dans un bureau.
b En région parisienne, six employés sur dix travaillent dans un bureau.
c Dans les équipements collectifs, plus de 30% des emplois sont dans l'hébergement.
d Les activités de production sont aussi importantes que les équipements collectifs.
e Les activités de transport sont assez importantes en région parisienne.
f Les représentants sont en effet de «faux» employés de bureau.

3. Cherchez dans le texte l'équivalent des termes statistiques suivants. Puis créez une phrase pour chacun, basée sur l'information fournie dans l'article.

par exemple, 'half': *la moitié* – La moitié des Français travaillent dans des bureaux.

a six out of ten
b over a third
c third place
d one in seven
e the lowest
f a fair number

4. Mettez les emplois suivants dans leur(s) bonne(s) base(s) d'activité.

Emplois

i professeur
ii médecin
iii femme de ménage
iv routier
v technicien
vi vendeuse
vii ouvrier chez Renault
viii secrétaire
ix électricien
x mécanicien
xi fonctionnaire
xii éboueur

Bases d'activités

a établissements d'hébergement
b équipements collectifs
c activités sur chantier
d activités en clientèle
e activités de transport
f usines, ateliers
g entrepôts, dépôts
h magasins de vente
i bureaux, guichets, laboratoires

Texte D: «Il n'y a pas de sot métier!»

Tiré de *Réponse à tout*, avril 1997

Gardien de cimetière pour chiens, chasseur de fuites, sexeur, cordiste savoyard : quels drôles de métiers ! Mais en période de chômage, certains débordent d'imagination pour créer de nouvelles professions pour le moins insolites!

Dans son ouvrage, *Il n'y a pas de sot métier*, Pierre Terme a donné la parole à ceux qui exercent de bien curieuses professions. Ce livre étonnant et qui fourmille d'anecdotes en tout genre pourrait bien donner des idées à certains d'entre vous. Quoique... A chacun d'en juger. Car en voici justement un aperçu.

Le psychiatre pour chiens

Ne riez pas! Ce serait une profession en pleine expansion. Les professionnels recevraient chaque année 1 000 chiens en consultation! Le prix d'une analyse reviendrait à environ 150 F à l'école vétérinaire de Maisons-Alfort, jusqu'à 1 000 F dans le privé! Le rôle du psychiatre pour chiens, de formation vétérinaire, est en effet de « *réguler les relations entre l'homme et le chien* ». Maîtres dominés ou chiens malheureux, les psychiatres pour chiens s'occupent de vos problèmes!

● Après avoir ausculté votre chien en votre présence, il vous donnera son diagnostic et prescrira éventuellement des remèdes. Apparemment, les maux psychiques qui rongeraient les chiens se manifesteraient par un manque d'appétit et une attitude violente contre leur maître...

Le sexeur de volailles

Son métier? Déterminer le sexe des volailles qui n'ont qu'un jour. Le sexage permet en effet de séparer les poussins destinés à la ponte de ceux qui feront de la chair, histoire d'obtenir une meilleure rentabilité dans toutes les filiales avicoles. Il s'effectue durant les premières lueurs du jour, car les éclosions ont lieu la nuit. Les sexeurs seraient environ 90, dont 30 Asiatiques, à pratiquer cette activité apparue en France il y a plus de 25 ans. Il y aurait même 400 emplois à créer.

Le tailleur pour chiens

Il dessine à partir de patrons spécifiques, choisit les tissus et confectionne des vêtements pour chiens. Mais attention : rien n'est laissé au hasard. Car leurs clients sont, dans 90 % des cas, des clientes qui tiennent à assortir les tenues de leur chien avec les leurs! Pas étonnant donc que les tailleurs pour chiens puisent leur inspiration dans les défilés de mode et les magazines féminins. Outre les manteaux et imperméables, de grands classiques, ils peuvent confectionner sur commande des vêtements vraiment délirants comme des perfectos ou encore des colliers à ailes d'anges avec, surmontant la tête du chien, une auréole!

● Heureusement (pour eux, et pour nous!), ce sont des folies plutôt rares. Car les chiens, à la différence (parfois) de leurs maîtresses, sont surtout sensibles à la coupe et à la matière de leurs vêtements. Certes, l'écossais est, paraît-il, très à la mode en ce moment, mais qu'importe les couleurs! « *Les bassets, très longs, ou*

les lévriers, qui ont de fortes poitrines », seraient les plus difficiles à habiller...

Le relooker de mort

Un métier beaucoup moins drôle... Le relooker est chargé de donner une apparence « digne » aux défunts. Dans des termes plus scientifiques, on l'appelle aussi thanatopracteur. Afin de permettre à la famille de venir se recueillir une dernière fois auprès du défunt, le relooker de mort doit ainsi faire disparaître les lividités de ce dernier, effectuer sa toilette mortuaire, l'habiller et le maquiller. M. Marette, l'inventeur de cette profession, a d'ailleurs créé une école.

L'homme objet

Cet homme « loue » son corps en faisant l'objet. Il peut se transformer en porte-manteau lors d'une soirée, en table ou en chaise, bref en tout objet utilitaire. Autre originalité: son prix sera fixé sur l'objet qu'il représente (230 F s'il s'agit d'une chaise par exemple). Mais quelles sont donc les principales difficultés du métier? Les crampes, bien sûr. Car les prestations de l'homme objet durent une heure en général. Autant vous dire que la concentration et la souplesse sont des qualités hautement requises pour ce genre de métier...

Le chercheur de fuites

Tout simplement, il est chargé de détecter et de localiser les fuites d'eau. Si le niveau brevet ou bac est exigé, il faut suivre en outre une formation professionnelle pour acquérir des notions d'hydraulique. A charge pour lui de connaître ensuite le fonctionnement d'un réseau de distribution, de savoir lire un plan de réseau, pour finalement stopper délicatement les fuites sans nuire à la distribution générale. Un véritable métier de patience, de finesse et d'analyse.

● Le chercheur de fuites travaille ainsi avec des appareils basés sur le principe de la détection acoustique. Il travaille de préférence de nuit, étant donné que la consommation en eau est minime par rapport à celle de la journée. Et les bruits alentours risquent moins de le mettre sur une fausse piste! Constat d'un spécialiste: « *un bon chercheur de fuites a une véritable bibliothèque de bruits dans sa tête* ».

Les cordistes savoyards

En fait, ils sont chargés par les copropriétés de faire du ravalement et de l'entretien de façade. Mais au lieu d'employer des échafaudages, ils s'exécutent avec des cordes, d'où leur nom... Cette profession existerait depuis 1824. Si une formation aux métiers du bâtiment est nécessaire, les candidats à cette profession doivent avoir une parfaite connaissance de la montagne, puisqu'ils utilisent deux types de corde, comme en alpinisme: l'une, « statique », sert à la montée, et l'autre, « dynamique », permet d'assurer leur sécurité.

● Les cordistes savoyards travaillent généralement par équipe de deux: l'un surveille en bas de l'immeuble, pendant que l'autre grimpe avec des équipements de montagne et de spéléologie. Avantage de ce système: les copropriétés paient selon eux cinq fois moins cher qu'avec les échafaudages. « *Ce serait même l'un des rares secteurs du bâtiment où il y a du travail* », affirme l'un d'entre eux. Payés à la tâche, ces acrobates du bâtiment sont toutefois limités à 25 mètres de hauteur.

Gardien de cimetière pour chiens
Ces cimetières existeraient depuis plus d'un siècle. Mais ce phénomène, assez récent en France, prendrait de plus en plus d'importance. Il y aurait aujourd'hui plusieurs catégories de cimetière pour chiens: municipaux, semi-privés ou privés et donc gérés par une société. Les gardiens de cimetière pour chiens dépendent donc parfois des services municipaux! Enterrer un chien coûterait aux environs de 5 000 F tout compris, avec la dalle et le cercueil...

Les faits et les opinions

1. Pouvez-vous identifier les huit métiers dans l'extrait, grâce aux indications suivantes?
- **a** Aïe! Mon chien m'a mordu!
- **b** Fard à paupières, rouge à lèvres, tout pour être belle jusqu'à la fin!
- **c** Gucci ou Armani?
- **d** Surtout ne bougez pas – soixante minutes, c'est long!
- **e** Fille ou garçon?
- **f** Attention au vertige!
- **g** Après moi, le déluge.
- **h** Un simple trou dans le jardin ne suffit plus.

2. A part le gardien de cimetière pour chiens, lequel des métiers n'a pas son propre dessin humoristique? Pourquoi, à votre avis?

3. Certains de ces métiers semblent fantaisistes mais d'autres sont plus rentables. Choisissez-en trois et justifiez leur place dans le marché du travail.

4. Répondez en français aux questions suivantes.
- **a** Pourquoi et à quel moment faut-il sexer les poussins?
- **b** Pourquoi un lévrier serait-il difficile à habiller?
- **c** Quels diplômes faut-il avoir pour devenir chercheur de fuites?
- **d** Quel est l'avantage d'employer un cordiste savoyard? Et l'inconvénient?
- **e** Comment reconnaît-on un chien ayant des problèmes psychiques?
- **f** Qu'est-ce qu'un thanatopracteur?
- **g** Pourquoi payerait-on 5000 francs?
- **h** Pourquoi parle-t-on de chômage en début d'article?

5. Pourriez-vous traduire en anglais le titre de l'article?

Imaginez. . .

6. Choisissez un des métiers dans l'article et racontez une journée typique au travail. Ecrivez 100–150 mots.

Sujets de rédaction/coursework

1. Un personnage littéraire dans le contexte de son travail. Par exemple:
- Toussaint Maheu – mineur – dans *Germinal* d'Emile Zola.
- Le père – paysan > ouvrier > petit commerçant – dans *La Place* d'Annie Ernaux.

Pour vous aider:
- Vous devez considérer la possibilité du journal intime ou de l'interview pour exploiter ce thème. Voir «How to structure your written work» (page 6).
- Analysez la situation du personnage, son travail ou sa position sociale et comment il/elle y est arrivé(e), etc.
- Etudiez les conditions de travail et/ou les conditions de vie, la vie de famille et la philosophie du personnage.

2. Profil d'un secteur industriel

Pour vous aider:
- Le choix de l'industrie: voulez-vous considérer une industrie «typique» du pays ou préférez-vous faire une comparaison avec la même industrie dans votre pays?
- Raisons historiques pour l'implantation de cette industrie. Est-ce que c'est une industrie traditionnelle ou nouvelle?
- Incluez les méthodes de production.
- Analysez son importance dans l'économie du pays.
- Considérez les problèmes généraux (crise économique/chômage ou spécifiques) et les solutions.
- Incluez le bilan et considérez l'avenir.

3. Evolution historique d'un secteur industriel

Pour vous aider:
- Pour cette rédaction, vous pouvez considérer bon nombre des points mentionnés dans le thème 2 mais vous devez les considérer du point de vue de leur évolution: c'est-à-dire les raisons historiques, géographiques, économiques et sociales qui ont contribué à cette évolution.

4. Le Syndicalisme en France

Pour vous aider:
- Etudiez l'histoire du mouvement (né de l'exploitation ouvrière).
- Examinez la position juridique (1884 – reconnaissance des syndicats).
- Analysez les influences idéologiques.
- Incluez l'évolution du mouvement syndical et l'action syndicale pour l'amélioration des conditions de travail (congés payés/durée du travail/retraite) et la grève.
- Quelle est la position actuelle des syndicats en France?

5. La femme dans le monde du travail

Pour vous aider:
- Quand et pourquoi la femme est-elle entrée sur le marché du travail?
- Quel est le pourcentage des femmes dans la totalité de la population active?
- Considérez la situation de la femme active par rapport aux hommes (travail stéréotypé/manque d'opportunités/travail mal payé et à mi-temps).
- Déterminez les raisons de cette infériorité (rôle traditionnel/éducation/enfants/parents dépendants/sexisme).
- Faites le bilan et considérez l'avenir.

Sources supplémentaires

Confédération Française Démocratique du Travail (C.F.D.T.)
www.cfdt.fr

Confédération Générale du Travail
www.cgt.fr

Ministère de l'Emploi et de la Solidarité
www.travail.gouv.fr/sources/monde/monde.htm

Le monde du travail
www.info-etudes.lu/employer/travail/traintro.htm

Le monde du travail: toujours en évolution
www.mcq.org/ecole/difference/client4/travil.html

L'Etat de la France
(La Découverte, 1996)

Le nouveau Guide France, Guy Michaud et Alain Kimmel
(Hachette Livre, 1996)

Germinal* et *La Place
Photocopiable text dossiers in *Thèmes et Textes* Tutor's Book

Dossier: Dépendances et santé

Table des matières

Texte A

- Extraite: «La santé» (*Les Droits des jeunes,* Les Essentiels n° 36 de Sylviane Baudois, Editions Milan–France, 1996)

Texte B

- Extrait: «C'est l'histoire de Jean-Pierre, ex-toxicomane. . .» (*La Drogue,* Les Essentiels n° 6 de Francis Curtet, Editions Milan–France, 1995)

Texte C

- Extrait: «Qu'est-ce que la toxicomanie?» (*La Drogue,* Les Essentiels n° 6 de Francis Curtet, Editions Milan–France, 1995)

Texte D

- Article: «Je veux vivre à fond la caisse!» (*Phosphore,* octobre 1997)

Texte E

- Article: «Les céréales du petit déjeuner n'auront pas la peau de la tartine beurrée» (*InfoMatin,* 18 septembre 1995)

Sujets de rédaction/coursework

Sources supplémentaires

Texte A: «La santé»

Tiré de *Les Droits des jeunes* de Sylviane Baudois

Trois des choses qui sont néfastes pour la santé sont le tabac, l'alcool et la drogue. Quelle est la position française vis-à-vis de ces trois types de substances, en particulier en ce qui concerne les jeunes?

La santé

La consommation, légale ou illégale, de tabac, d'alcool, ou de drogue, est nuisible à la santé et présente des risques parfois mortels.

Le tabac

Le tabac est en vente libre, mais fumer (tabagisme actif) est dangereux pour soi et pour les personnes de l'entourage (tabagisme passif). Il est maintenant interdit de fumer dans tous les lieux fermés accueillant du public, ou les lieux de travail, sauf dans des locaux réservés aux fumeurs. Dans les collèges, seuls les enseignants et personnels peuvent fumer dans des locaux réservés. Dans les lycées, ces locaux sont ouverts à tous.

Le tabac contient des agents cancérigènes qui sont des facteurs déclenchant des cancers (du larynx, des poumons). La nicotine agit sur le système nerveux, les bronches, l'estomac. Des substances irritantes (comme le goudron) favorisent les bronchites.

L'alcool

La vente et la consommation d'alcool sont réglementées pour les mineurs. Dans les cafés, les bars, les lieux publics, la vente d'alcool est interdite aux moins de 14 ans : de 14 à 16 ans, vin ou bière sont permis; de 16 à 18 ans, le degré d'alcool autorisé dans les boissons atteint 18°; après 18 ans, la vente d'alcool est libre. Toute boisson alcoolisée est interdite dans les établissements scolaires.

L'alcool produit un effet immédiat sur le cerveau, les nerfs, les sens, ce qui explique qu'il soit la cause de nombreux accidents. Le taux légal maximal pour conduire un deux-roues ou une voiture est de 0,5 gramme par litre de sang (soit 2 à 3 verres de vin ou 2 bières environ pour des adultes). L'alcool provoque également des effets à long terme chez les consommateurs réguliers: maladies du foie, du cœur, du système nerveux...

Les drogues

Les différentes drogues sont classifiées par la loi sous le nom de stupéfiants: haschisch, cannabis, cocaïne, opium, héroïne... Usage, vente, trafic, fabrication sont illégaux. Seuls les laboratoires pharmaceutiques ont le droit de les transformer en médicaments, prescrits sur ordonnance.

D'autres produits qui ne sont pas des stupéfiants, mais dangereux pour la santé, sont interdits à la vente aux mineurs : éther, trichloréthylène...

L'emploi, la détention, le transport, l'offre, la vente, l'achat de stupéfiants sont passibles d'une peine de 5 à 10 ans de prison; le trafic, de 10 à 30 ans de réclusion; la fabrication, de 20 ans de réclusion; l'organisation et la direction d'un réseau, de la réclusion à perpétuité. Les poursuites contre le consommateur de stupéfiants peuvent être abandonnées s'il désire se soigner, ce qui peut d'ailleurs lui être imposé par la justice. Les drogues « douces » (comme le haschish) créent une accoutumance psychologique. Les drogues « dures » (cocaïne, héroïne, crack) rendent totalement dépendant et détruisent la santé physique et intellectuelle. Autres dangers: la contamination par le virus du sida des seringues réutilisées et l'overdose qui provoque souvent la mort. Une personne qui se drogue a besoin de parler et d'être écoutée. Que ce soit pour soi-même ou pour d'autres, il vaut mieux s'adresser à un adulte de confiance, à un médecin, à une association ou un centre d'aide aux toxicomanes, tous deux gratuits et garantissant l'anonymat.

Les mots et les expressions

1. Tout d'abord, voici quelques termes employés dans le texte que vous ne connaissez peut-être pas. Associez-les aux définitions/explications qui vous sont données en choisissant le terme approprié pour chaque définition.

a recommandé par écrit par le médecin
b une personne qui prend beaucoup de drogues
c qui vous fait du mal
d la prison à vie
e une substance noire comme il y en a sur les routes
f un verre de vin par exemple
g fumer
h ne plus pouvoir se passer de quelque chose
i qui risque
j les professeurs
k arrive à
l une grande personne à qui on peut se fier
m les drogues

nuisible à la santé
le tabagisme actif
les enseignants
le goudron atteint
une boisson alcoolisée
les stupéfiants
prescrit sur ordonnance
passible
la réclusion à perpétuité
une accoutumance
un adulte de confiance
un toxicomane

Les faits et les opinions

2. Vrai ou faux? Corrigez les affirmations qui sont fausses.

a La loi interdit de fumer dans les lieux publics.
b Dans les lycées, les élèves ont le droit de fumer.
c La nicotine est mauvaise pour l'estomac.
d On peut aller au café sans adultes dès l'âge de quatorze ans.
e Dans les lycées, les élèves ont le droit de boire de l'alcool.
f On peut conduire après avoir bu trois verres de vin.
g Les médecins peuvent vous prescrire des drogues.
h Détenir de la drogue comme le cannabis n'est pas illégal.

3. Voici un tableau à remplir après avoir relu le texte en détail. Dans la colonne de gauche il y a des années (par exemple dix ans). Copiez le tableau et remplissez les cases appropriées avec les informations nécessaires. La première a été faite comme exemple.

	âge minimum pour...	**prison minimum pour...**	**prison maximum pour...**
5 ans		détention, vente de drogues	
10 ans			
14 ans			
16 ans			
18 ans			
20 ans			
30 ans			

Texte B: «C'est l'histoire de Jean-Pierre, ex-toxicomane. . . »

Tiré de *La Drogue* de Francis Curtet

De nombreux jeunes, à un moment ou un autre, essaient de la drogue. Pour la plupart, c'est une expérience sans conséquences qu'ils ne continuent pas. Pour certains, malheureusement, une fois seulement est mortel (plusieurs sont morts d'avoir pris une seule pilule d'ecstasy). Pour d'autres, c'est le début de la fin: ils deviennent toxicomanes. Lisons l'histoire de Jean-Pierre, qui, contrairement à la plupart des toxicomanes, s'en est sorti.

C'est l'histoire de Jean-Pierre, ex-toxicomane. . .

L'histoire de Jean-Pierre illustre une prise en charge à l'issue heureuse. Jean-Pierre a compris et réglé les raisons qui l'avaient rendu toxicomane. Il s'est peu à peu rendu maître de son avenir.

Sortie de prison

Prison de Fresnes, un matin d'hiver à 8 h 30. Une thérapeute de l'association Le Trait d'union attend Jean-Pierre. Sa mère et sa sœur sont là également. Jean-Pierre sort de la prison. Après avoir fait un signe affectueux mais lointain à sa famille, Jean Pierre monte dans la voiture du Trait d'union. Direction: le pavillon thérapeutique de Vanves. Jean-Pierre avait écrit au Trait d'union alors qu'il était emprisonné depuis cinq mois. Il demandait qu'on vienne le voir en prison. Il avait besoin d'être écouté, de parler à quelqu'un qui l'entende. L'équipe du Trait d'union l'a suivi régulièrement jusqu'à l'obtention de sa liberté conditionnelle.

Années de défonce

Jean-Pierre a 22 ans. Il se défonçait « à mort » depuis un an à l'héroïne. Mais le début de sa conduite toxicomaniaque remonte à quatre ans auparavant avec l'alcool. Pendant ces années, il fait une tentative de suicide. Il est désintoxiqué physiquement, mais il replonge de plus belle jusqu'au moment où il se fait arrêter en flagrant délit pour vol à la tire. Il prend un an ferme.

À la prison de Fresnes, Jean-Pierre a du mal à supporter la détention. Il parle souvent de son ami avec lequel il se défonçait et avec qui il avait une liaison. Jean-Pierre a suivi des études secondaires tout en étant pensionnaire. Il a gardé de cette époque une révolte sourde et latente envers toutes les formes de contrainte. Il veut bien se plier à un règlement, mais pas aveuglément, sans comprendre le pourquoi et le bien-fondé d'un interdit.

Se raconter

Au pavillon du Trait d'union, Jean-Pierre s'ouvre progressivement. Il arrive à mieux aborder les raisons de sa toxicomanie.

Il aime jouer, comme un gosse: bataille de flotte et tartes à la crème. Il est également provocateur. Enfin, c'est l'image qu'il revendique. Parfois, il arrête son « cinéma » et fait le point avec l'un des thérapeutes. Il prend du recul. Et il raconte. Se raconte. Son père qui, bien que présent physiquement, était totalement absent. Son oncle, modèle idéal de l'image paternelle. Cet oncle, il l'a mis sur un piédestal. Son propre père ne pouvait pas soutenir la comparaison. Alors, Jean-Pierre rêvait d'être le fils de cet oncle...

Accepter son identité

Quand Jean-Pierre arrive à Vanves, il y a déjà six résidents. Il fait chambre commune avec Éric.

Entre eux deux, c'est immédiatement la complicité. Jean-Pierre reproduit avec Éric la situation qui, avant, avait abouti à un échec. Il remet en scène, sous forme de jeu, sa tendance homosexuelle qu'il avait préféré fuir dans la drogue.
Mais ici, à Vanves, c'est différent. D'abord, il n'y a pas de drogue, donc pas de masque-écran par rapport à la réalité. Il y a également des limites posées autant par l'équipe du Trait d'union que par les résidents. C'est un lieu de parole et Jean-Pierre sait qu'il peut être entendu sans être ni jugé ni condamné, quel que soit le mode d'expression qu'il emprunte. Comprendre les raisons de son échec amoureux, c'est pour lui revivre les atermoiements, les désirs, les frustrations, les rires et les pleurs qui composaient sa relation avec son ami. Ici, il prend le temps nécessaire à la réflexion. Petit à petit, il devient plus capable de traduire en mots ses angoisses, ses interrogations sur l'ambivalence sexuelle. Il part en quête de son identité.
Au bout de quelques mois, Jean-Pierre quitte Vanves. Il a appris à s'accepter tel qu'il est. Il a trouvé un emploi dont il se sent désormais capable de supporter les contraintes. Il rétablit le contact avec ses parents. Il va bien.

Les mots et les expressions

1. Cherchez les mots et les expressions suivants.

a he has his future in his hands
b as well
c his parole
d he was getting high
e he sinks even lower
f picking pockets
g the justification
h like a kid
i he steps back
j he shares a room
k whatever
l after a few months

Les faits et les opinions

2. Voici onze phrases qui résument l'histoire de Jean-Pierre. Recopiez-les dans l'ordre où les choses se sont passées (ce qui n'est pas nécessairement l'ordre dans lequel elles apparaissent dans le texte).

a Il est condamné à un an de prison ferme.
b Petit à petit, il s'ouvre parce que, enfin, on l'écoute.
c Pendant ses études au lycée, Jean-Pierre était pensionnaire.
d Il sort de prison grâce à une organisation qui s'appelle Trait d'union.
e Après cela, il passe à la drogue et devient vite héroïnomane.
f Il apprend enfin à s'accepter tel qu'il est.
g Il vole pour avoir de l'argent pour sa drogue et est bientôt arrêté.
h Jean-Pierre, quand il était petit, préférait son oncle à son père.
i Il va beaucoup mieux et a maintenant une vie normale.
j Il supporte très mal la prison.
k A dix-huit ans, et ce pendant trois ans, il se met à boire et devient alcoolique.

3. Dites en sept mots maximum à quoi chacun de ces mots correspond.

a Fresnes
b Vanves
c Trait d'union
d Eric
e son père
f son oncle

Texte C: «Qu'est-ce que la toxicomanie?»

Tiré de *La Drogue* de Francis Curtet

Mais en fait, qu'est-ce que c'est la toxicomanie? Est-ce que ça a à voir avec les drogues dures, l'accoutumance? Ce texte essaie de définir ce mal.

1. Pour commencer, lisez le petit texte à gauche de l'extrait suivant et traduisez-le en anglais.

Qu'est-ce que la toxicomanie?

Sauf exception, ce n'est pas le produit, illégal ou non, drogue « douce » ou drogue « dure », qui fait la toxicomanie. La toxicomanie, c'est le mélange d'un besoin de fuite et de démesure. La motivation fait la toxicomanie

Une drogue est un produit qui va modifier notre perception neurosensorielle des choses et notre rapport à la vie. Il s'agit soit d'un excitant, soit d'un atténuant, soit d'une substance déformant la réalité.

Il existe des drogues légales et illégales. Le chocolat est une drogue, le café, le thé, le Coca-Cola et l'alcool aussi. Ce n'est donc pas l'illégalité qui fait la notion de drogue. L'erreur, souvent commise, est de se contenter de différencier les drogues qui créent des dépendances de celles qui n'en créent pas et d'attacher de l'importance au produit. Le produit en lui-même est secondaire.

En effet, dans l'immense majorité des cas, ce n'est pas le produit qui fait la toxicomanie, mais la motivation qui pousse à le consommer. On peut prendre une drogue pour des raisons multiples, mais certaines d'entre elles vont conduire à la toxicomanie.

Le besoin de fuir

Que cherche à fuir le toxicomane? Une réalité quotidienne insupportable, des problèmes qui ont des origines sociales ou relationnelles, ou les deux à la fois.

La toxicomanie due à des problèmes sociaux graves est relativement récente. Ils n'ont aucun projet d'avenir, sont en échec scolaire, et le seul horizon qu'ils distinguent, c'est celui de leurs parents: le chômage et la misère. Souvent, ils vivent dans des cités où rien n'est prévu pour se retrouver, se distraire. On peut alors comprendre leur besoin d'évasion.

Lorsqu'on parle avec un toxicomane, qui fuit une réalité sociale insoutenable, il dit souvent: « Surtout, il ne faut pas que je retourne dans ma cité. Là-bas, il n'y a rien d'autre à faire que se droguer, tous les dealers me connaissent. Il me faut un petit boulot et une petite femme qui m'aime... Une vie normale. »

La toxicomanie trouve également ses causes dans le domaine relationnel. Le toxicomane a des difficultés personnelles, qui se traduisent par une forte angoisse, la solitude, le sentiment de ne pas être écouté, de ne pas être aimé. Le problème se situe souvent dans la famille, avec les parents, piliers essentiels de la construction d'un enfant. Pourquoi choisir la drogue qui ne résout absolument aucun problème? Il y a parfois un facteur biologique. Des jeunes, à qui on a donné certains somnifères ou tranquillisants quand ils étaient nourrissons, seront plus avides à l'égard de produits tels que l'héroïne. Dans le cerveau, il y a une

Des toxicomanies plutot qu'une toxicomanie
Il existe bien d'autres situations associant fuite et démesure: la fugue, les tentatives de suicide, la boulimie, l'anorexie, les maladies psychosomatiques. D'autres personnes peuvent devenir des drogués de la télévision, de la vitesse, de l'argent, du jeu, du pouvoir ou du travail. Dans tous les cas, on peut parler de conduites toxicomaniaques.

sorte d'activation au niveau des cellules captatrices des endorphines. Mais aussi, depuis toujours, ils ont vu que, lorsqu'un problème se posait, leurs parents leur donnaient une sorte de potion magique. Un produit apportait ainsi la solution, à la place d'un échange relationnel avec les parents.

La démesure

Quand le toxicomane va mal, il prend un produit. Il a l'impression d'aller mieux et, ainsi, il a envie de reprendre le produit, le plus vite possible. À plus grande dose et de plus en plus souvent. Il n'y a pas de limites.

Comme un bébé, un toxicomane est quelqu'un qui veut tout et tout de suite. Il ne sait pas attendre.

Un enfant se construit à partir des limites qu'on va lui indiquer, qui lui permettront de se respecter lui-même et de respecter les autres. Sans elles, il va sombrer dans l'angoisse. Une angoisse qui peut s'aggraver et aboutir à un besoin de fuite.

Les mots et les expressions

2. Maintenant lisez le texte lui-même et cherchez les mots et les expressions suivants, selon leur traduction anglaise **ou** cherchez une expression synonyme en français.

a either. . . or
b the common mistake
c in itself
d insoutenable
e n'arrivent à rien à l'école
f their need to escape
g insupportable
h nothing else
i des produits qui font dormir
j envers
k such as heroin
l to have self-respect
m se traduire par

Les faits et les opinions

3. Voici neuf phrases qui sont basées sur le texte; elles ont été coupées en deux. Recopiez-les en joignant les deux moitiés correctement.

a Une drogue est un produit. . .
b Il y a beaucoup de drogues. . .
c La toxicomanie, c'est ne plus pouvoir. . .
d Les toxicomanes cherchent à. . .
e Leurs problèmes sociaux incluent. . .
f Si tout le monde avait du travail et un partenaire. . .
g Une cellule familiale instable. . .
h L'attitude émotionnelle d'un toxicomane. . .
i Si on n'impose pas de limites à un enfant, il est angoissé, ce. . .

i . . .l'échec scolaire et le chômage.
ii . . .favorise la toxicomanie.
iii . . .qui peut le diriger vers la drogue.
iv . . .que tout le monde peut acheter au magasin du coin.
v . . .qui modifie la façon dont on perçoit les choses.
vi . . .se passer de quelque chose.
vii . . .qui les aime il y aurait très peu de toxicomanie.
viii . . .est comme celle d'un bébé.
ix . . .échapper à la réalité quotidienne.

Texte D: «Je veux vivre à fond la caisse!»

Tiré de *Phosphore*, octobre 1997

Nous venons de parler beaucoup du problème de la drogue à l'heure actuelle et de tous les jeunes qui sont mal dans leur peau. Heureusement, c'est une minorité et la plupart se sentent bien dans leur peau et veulent profiter de la vie au maximum… ce qui peut conduire à des excès et même à la toxicomanie… Dans cet article on rencontre deux jeunes qui veulent vivre «à fond la caisse».

Les mots et les expressions

Tout d'abord, lisez ce que dit Mathieu. Pour vous aider, voici les définitions de quelques mots ou expressions qu'il emploie.

à fond la caisse: à la limite
un tic: un geste nerveux ou une parole qu'on n'arrête pas de faire ou dire
une teuf: verlan (dire les mots à l'envers) pour fête/boum
mon bahut: mon lycée/collège
blême: pâle
elle flippe: elle se fait beaucoup de souci
téméraire: brave
un frimeur: quelqu'un qui aime poser, se faire remarquer

Je veux vivre à fond la caisse!

Mathieu: « La seule chose qui me fait peur, c'est de m'ennuyer »

« J'ai un tic qui agace tout le monde: quand j'arrive quelque part, je dis toujours: qu'est-ce qu'on attend? Sous-entendu: pour bouger, pour danser, pour boire et plus si affinités… La seule chose qui me fait peur dans la vie, c'est de m'ennuyer et j'ai l'horrible impression que je ne pourrais jamais faire le quart du dixième de ce que je voudrais faire! Je n'arrête pas: du snowboard l'hiver, du surf et de la descente en VTT l'été, et des « teufs » gravissimes tout le reste de l'année! Quand je reviens de vacances et que je raconte tout ce que j'ai fait, j'ai l'impression que les gars de mon bahut sont des petits vieux à côté de moi. Là, je viens d'avoir mon permis de conduire, et rien qu'à l'idée que je vais partir en vacances avec, ma mère est blême! Evidemment, c'est une maman, alors elle flippe, elle dit que je prends des risques (et encore, je ne lui ai pas encore dit que je voulais faire du kart!). Mais elle sait bien que je ne peux pas vivre autrement et que je fais ça dans la joie et l'allégresse. Téméraire, mais pas suicidaire! Ceux qui ne me connaissent pas très bien me prennent pour un frimeur et un fou. Mais quand je rentre à la maison, je sais qu'il y en a au moins un qui me comprend très bien: mon père. Il serait mal placé pour me le reprocher vu qu'il m'a toujours dit que la vie est trop courte pour perdre une seule seconde… »

Les faits et les opinions

1. Recopiez directement du texte les informations suivantes sur Mathieu.
- **a** Les trois sports qu'il pratique
- **b** Le sport qu'il veut pratiquer
- **c** La qualification qu'il vient d'obtenir
- **d** Sa seule peur
- **e** La personne qui l'encourage à vivre comme ça

Passons maintenant à une fille qui, elle aussi, veut vivre «à fond la caisse»: Olivia. Pour vous aider, voici les définitions de quelques mots ou expressions qu'elle emploie.

je ne tiens pas en place: il faut que je bouge tout le temps
en fuguant: en quittant la maison et mes parents
c'est pas le pied: ce n'est pas bien du tout
je sèche les cours: je ne vais pas au lycée
cafter: aller le dire à mes parents
une connerie: une bêtise
un mec: un garçon
j'ai raté mon bac: je n'ai pas réussi à mes examens de fin de lycée

Je veux vivre à fond la caisse!

Olivia: « J'ai envie de faire tout ce qu'on m'interdit »

« Je ne tiens pas en place, je voudrais sortir tous les soirs. Mais avec mes parents, j'ai l'impression d'être à l'armée. Je pensais qu'en fuguant, ils capteraient le message, mais non. Au lycée, c'est pas le pied non plus. C'est comme une deuxième prison: je sèche les cours, mais il y a toujours un prof pour aller cafter. Du coup, pour compenser, je fais connerie sur connerie. Je vole, je fume, je sors avec des mecs. Bref, je fais tout ce qu'on m'interdit. J'ai l'impression de tout faire en cachette et c'est superfrustrant. A force de partir dans toutes les directions, je n'arrive jamais à me concentrer sur ce qui est important. Cette année, j'ai raté mon bac. Mais il paraît que mon « cas » va s'arranger : comme je vais avoir 18 ans, mes parents ont promis de me laisser plus de liberté. »

2. Recopiez directement du texte les informations suivantes sur Olivia.
- **a** Les trois «conneries» qu'elle fait
- **b** Quand elle veut sortir
- **c** Le diplôme qu'elle n'a pas obtenu
- **d** Son âge
- **e** La promesse de ses parents

3. Maintenant que vous en savez plus sur Mathieu et Olivia, mentionnez deux choses qu'ils ont en commun et deux choses qui les différencient.

Texte E: «Les céréales du petit déjeuner n'auront pas la peau de la tartine beurrée»

Tiré de *InfoMatin*, 18 septembre 1995

Pour terminer, parlons nourriture. Pour être en forme, il faut bien manger et le premier repas de la journée (et peut-être le plus important), c'est le petit déjeuner. C'est le repas qui a le plus changé en France au fil des années et qui diffère souvent le plus d'un pays à l'autre. Alors, le petit déjeuner typiquement français à l'heure actuelle, qu'est-ce que c'est?

RÉVEIL Les céréales du petit déjeuner n'auront pas la peau de la tartine beurrée

« Allez! Fais un effort, mange quelque chose! – Non, j'ai pas faim. » Combien de petits, les yeux bouffis de sommeil, refusent encore la tartine amoureusement beurrée par maman?

Au siècle dernier, ceux qui font les difficiles devant une baguette croustillante-beurre-confiture se seraient contentés de tremper un morceau de pain rassis dans de la soupe, du vin ou... de la bière! Ce qu'on appelle le petit déjeuner continental ne s'est banalisé qu'à la fin de la Seconde Guerre mondiale.

Autrefois, la rupture de jeûne se résumait à tremper du pain dans un reste de soupe de la veille et cela constituait parfois le meilleur repas de la journée.

Ce n'est qu'à la fin du XIXe siècle que le café au lait chasse ce bouillon matinal et que le beurre, luxe longtemps réservé aux familles aisées et au dimanche, devient aussi courant que le lait.

En guise de starter, deux tiers des Français restent fidèles à cette sacro-sainte tartine de beurre trempée dans le café au lait.

Et, s'ils se laissent parfois tenter par un yaourt, un jus de fruit ou même une tranche de jambon ou un œuf, les adultes restent sourds aux pubs vantant les mérites des céréales, plébiscitées par les jeunes. La mode des brunches, où les yuppies des années 80 s'obligeaient à ingurgiter du saumon fumé ou des œufs brouillés dès 10 heures du matin, arrosés d'un bloody mary (!), n'a jamais vraiment pris en France... Toutefois, selon Patrick Serog, nutritionniste à l'hôpital Bichat: « manger des protéines au petit déjeuner évite la fringale de 11 heures. »

« Entre bacon et œufs frits, ajoute-t-il, le breakfast anglais est beaucoup trop gras ». Ne parlons même pas des saucisses à l'allemande...

Même ceux qui ne pouvaient rien avaler le matin se forcent à prendre le temps de petit-déjeuner. On n'a cessé de leur répéter les dangers du jeûne, au cours d'une matinée de travail. Un progrès, aux yeux de Patrick Serog, nutritionniste à l'hôpital Bichat: « C'est un repas très important pour l'équilibre calorique des enfants et des adolescents. Il évite aux adultes la fringale de fin de matinée, avec pic glycémique à la clé. »

Une grande majorité d'entre nous a donc compris la nécessité de recharger les batteries après la nuit et y consacre deux fois plus de temps qu'il y a cinq ans: vingt minutes en moyenne, seul moment où la famille est au complet, le déjeuner se prenant à l'extérieur et le dîner des enfants ayant souvent lieu avant celui des parents.

Par ailleurs, les Français ont une mémoire: ils restent fidèles au pain, aliment complet et symbolique par excellence. Et délaissent de plus en plus les beurres allégés ou la margarine pour du vrai beurre, quitte à réduire la dose.

Rien de tel que du beurre salé, couché sur de la baguette, sublime avec un peu de confiture. On peut lui préférer le croissant le dimanche, mais pas question de l'échanger avec du « miso », pâte de soja chère aux Japonais !

Quatre exemples de petit déjeuner, du costaud à l'enfantin

Ce repas est le plus important de la journée. Il doit couvrir un quart des besoins en calories de la journée.

Le classique.
• 60 g de pain, soit un quart de baguette beurrée • une tranche de jambon ou un œuf • un fruit • café ou thé.

Le spécial calcium.
• 60 g de pain • fromage (45% de matières grasses) • un yaourt, avec du miel ou de la confiture • café ou thé.

L'américain.
• un bol de lait-céréales • 60 g de pain beurré • café ou thé.

Pour les enfants.
• un lait chocolaté • 60 g de pain beurré • un yaourt avec de la confiture (plutôt qu'un yaourt aromatisé, trop sucré). ■

Les mots et les expressions

1. Tout d'abord, voici quelques mots et expressions de l'article que vous ne connaissez peut-être pas; associez-les à leur définition correcte.

bouffis croustillante rassis rupture de jeûne de la veille en guise de starter plébiscitées ingurgiter la fringale avec pic glycémique à la clé ayant souvent lieu quitte à réduire la dose rien de tel

a très appréciées
b gonflés
c manger
d dur
e faiblesse par manque de nourriture
f d'hier
g repas après abstinence
h comme hors-d'œuvre
i il n'y a rien de meilleur
j avec une croûte qui craque sous la dent
k grande faim
l se passant souvent
m même si on doit en manger moins

Les faits et les opinions

2. Maintenant, relisez la première partie de cet article (jusqu'à «café au lait») avec soin et cherchez les informations suivantes.
a Le petit déjeuner typiquement français
b Le petit déjeuner classique («continental») date d'environ...
c Le pourcentage de Français qui le prennent.
d Il y a cent ans on buvait...
e Il y a cent ans on mangeait...
f (Petit) déjeuner veut dire...
g Le beurre est courant à table depuis environ...

3. Pour continuer, relisez bien le reste de l'article et répondez aux questions suivantes.
a Qu'est-ce qui manque au petit déjeuner français?
b Pourquoi est-ce que ce manque pose un problème?
c Qu'est-ce qui ne va pas dans les petits déjeuners anglais et allemands?
d Pourquoi le petit déjeuner est-il plus important maintenant qu'auparavant?
e Quel est l'aliment le plus irremplaçable?

Imaginez. . .

4. Regardez ces quatre petits déjeuners qui vous sont proposés à la fin de l'article. Lequel prendriez-vous? Pourquoi? Est-ce que les autres élèves de votre groupe sont d'accord?
Si vous voulez en faire plus, faites quatre menus de plus:

l'anglais l'allemand l'espagnol la suggestion de la classe

5. Pour terminer, faites un travail de recherche pour calculer le nombre de calories total des huit menus. Mettez-les dans l'ordre croissant (celui avec le moins de calories d'abord). Quelles sont vos conclusions?

Sujets de rédaction/coursework

1. La toxicomanie

Pour vous aider:

- Tout d'abord, donnez une définition de la toxicomanie.
- Puis trouvez des chiffres et des statistiques sur la situation actuelle et son évolution dans le pays francophone de votre choix.
- Quelles en sont les causes? Quels en sont les effets (par exemple sur la criminalité)?
- Citez des cas précis et expliquez comment ces toxicomanes ont évolué. Y en a-t-il qui s'en sont tirés? Comment?
- Et vous? Qu'en pensez-vous?

2. Les drogues dures et les drogues douces

Pour vous aider:

- Peut-on faire la différence entre différents types de drogues? Est-ce qu'il y a véritablement des drogues douces et des drogues dures? Analysez les arguments pour et contre cette classification.
- Quelle est la situation à l'heure actuelle dans le pays francophone de votre choix?
- Parlez des campagnes qui sont menées pour la légalisation des drogues dites douces. Qui les mène?
- Quelle est la position du gouvernement actuel? Ont-elles des chances de réussir?

3. Le tabagisme

Pour vous aider:

- De plus en plus le fait de fumer devient antisocial alors qu'il y a vingt ans et plus c'était le contraire. Analysez-en les raisons des points de vue sociologique et scientifique.
- Quelle est la position de la loi? Comment est-elle appliquée?
- Quelles sont les statistiques, en particulier en ce qui concerne les jeunes et les moins jeunes dont la santé a été détériorée par des années de tabagisme?
- Quel est votre avis sur la question?

4. Le SIDA

Pour vous aider:

- Expliquez en court ce qu'est cette maladie, ses origines et les chiffres actuels en ce qui la concerne.
- Concentrez-vous sur un aspect particulier de cette calamité de la fin de siècle.
- Par exemple, l'évolution de la recherche (par exemple, ce que fait l'Institut Pasteur), les attitudes, les campagnes, etc.

5. Une étude comparative des habitudes nutritives françaises et anglaises

Pour vous aider:

- Il y a bien sûr des stéréotypes quand on compare les deux pays («les rosbifs» contre «the froggies»!). Mais ces différences sont-elles encore si prononcées?
- Comparez et contrastez les deux pays.
- Appuyez-vous non seulement sur des statistiques mais aussi sur de la recherche personnelle conduite auprès de Français d'âges et de couches sociales différents.

6. Prenez une région française ou un pays francophone et justifiez sa réputation gastronomique en utilisant des exemples de produits alimentaires et viticoles typiques de cette région.

Pour vous aider:

- Tout d'abord choisissez de préférence une région/un pays que vous connaissez personnellement et où vous avez des contacts.
- Obtenez des renseignements généraux par les guides, les brochures et les sites Internet disponibles.
- Quand vous aurez les faits et chiffres de base, choisissez vos exemples et justifiez ces choix.
- Finalement, pourquoi ne pas composer un menu représentatif et le justifier, l'illustrer et même donner quelques recettes? Ou bien concentrez-vous sur un produit (par exemple, le cognac).

Sources supplémentaires

L'état de la France
(La Découverte, 1996)

Le nouveau Guide France, Guy Michaud et Alain Kimmel
(Hachette Livre, 1996)

Les droits des jeunes
(Les Essentiels nº 36, de Sylviane Baudois, Editions Milan–France, 1996)

La drogue
(Les Essentiels nº 6, de Francis Curtet, Editions Milan–France, 1995)

Le Sida
(Les Essentiels nº 9, Editions Milan–France)

Fondation toxicomanie et prévention pour la jeunesse
38 rue Texel
75014 Paris
France
Tél. 0033 1 43 20 18 18

Centre National de Documentation sur les Toxicomanies
14 avenue Berthelot
69007 Lyon
France
Tél. 0033 3 72 72 93 07

Aides (Association de lutte contre le SIDA)
247 rue de Belleville
75019 Paris
France
Tél. 0033 1 44 52 00 00

Site Internet du gouvernement canadien
www.hc-sc.gc.ca/hppb/alcool-autresdrogues

Films à regarder
Germinal (Claude Berri, 1993)
L'Assommoir (Gaston Roudès, 1933)
Les Nuits fauves (Cyril Collard, 1992)

Dossier: Liberté, égalité. . . racisme?

Table des matières

Texte A: *Né en 17 à Leidenstadt*

Tiré de *Fredericks, Goldman, Jones*, 1990

Cette belle chanson est la troisième de l'album *Fredericks, Goldman, Jones* (1990). Elle pose une question fondamentale sur l'attitude intolérante/raciste que l'on peut avoir vis-à-vis d'autres personnes ou d'autres peuples: est-ce que nous aurions la même attitude si nous étions nés et avions été élevés dans un contexte totalement différent? Par exemple, si nous étions nés sous le nazisme en Allemagne, ou dans un ghetto catholique de Belfast, ou dans une famille blanche d'Afrique du Sud?

Les faits et les opinions

1. Qui a dit quoi? Ecoutez ou lisez la chanson une première fois juste pour la découvrir. Puis écoutez ou lisez une deuxième fois pour décider qui a dit quoi. Pour vous aider, sachez que:

- Carole Fredericks est une américaine noire
- Jean-Jacques Goldman est d'origine juive allemande
- Michael Jones est britannique.

Attention! – certaines de ces paroles peuvent s'appliquer à plus de l'un d'eux. Copiez et remplissez le tableau ci-dessous.

		Fredericks	**Goldman**	**Jones**
a	Si j'avais grandi dans les docklands de Belfast			
b	Si j'avais été allemand			
c	Nourri de rêves de revanche			
d	Si j'étais née blanche			
e	Soldat d'une foi, d'une caste			
f	On ne saura jamais ce qu'on a dans nos ventres			
g	Entre le pouvoir et la peur			
h	Serions-nous de ceux qui résistent ou bien les moutons d'un troupeau?			

2. Ecoutez ou lisez la chanson une troisième fois et autant de fois qu'il le faut pour bien la découvrir et la comprendre. Mettez dans les blancs les mots qui manquent. Si vous avez vraiment des problèmes, la liste des mots vous est fournie. Pour commencer, cachez la liste avec une feuille de papier.

Votre professeur peut vous fournir le texte complet de la chanson pour que vous puissiez vérifier vos réponses.

blanche champ choisir contre derrière haine jamais longtemps meilleur milieu moutons rêves tendre vent

Imaginez. . .

3. Copiez et complétez les trois descriptions qui sont commencées ci-dessous et qui correspondent à Jean-Jacques Goldman, Michael Jones et Carole Fredericks.

Si j'étais né(e) en 1917 à Leidenstadt. . .
Si j'avais grandi dans les docklands de Belfast. . .
Si j'étais né(e) blanc(he) et riche à Johannesburg. . .

Et puis. . . essayez d'imaginer: Qu'est-ce que vous auriez fait/été si vous étiez né(e) ailleurs, dans un milieu totalement différent de celui que vous connaissez?

Si j'étais né(e) en (année) à/en (ville/pays). . .

Né en 17 à Leidenstadt

Et si j'étais né en 17 à Leidenstadt
Sur les ruines d'un ……… de bataille
Aurais-je été ……… ou pire que ces gens
Si j'avais été allemand?

Bercé d'humiliation, de ……… et d'ignorance
Nourri de ……… de revanche
Aurais-je été de ces improbables consciences
Larmes au ……… d'un torrent

Si j'avais grandi dans les docklands de Belfast
Soldat d'une foi, d'une caste
Aurais-je eu la force envers et ……… les miens
De trahir: ……… une main

Si j'étais née ……… et riche à Johannesburg
Entre le pouvoir et la peur
Aurais-je entendu ces cris portés par le ………

[Tous:]
Rien ne sera comme avant
On saura ……… c'qu'on a vraiment dans nos ventres
Caché ……… nos apparences
L'âme d'un brave ou d'un complice ou d'un bourreau?
Ou le pire ou plus beau?
Serions-nous de ceux qui résistent ou bien les ……… d'un troupeau
S'il fallait plus que les mots?

Et si j'étais né en 17 à Leidenstadt
Sur les ruines d'un champ de bataille
Aurais-je été meilleur ou pire que ces gens
Si j'avais été allemand?

Et qu'on nous épargne à toi et moi si possible très ………
D'avoir à ……… un camp.

Texte B: *Elise ou la vraie Vie*

Tiré du roman de Claire Etcherelli

Elise, 28 ans, provinciale, se trouve à Paris ayant suivi son frère qui est militant socialiste. Elle a trouvé du travail dans la même usine de voitures que son frère. Naïve et travaillant pour la première fois elle essaye de s'adapter car elle pense que la vraie vie se trouve dans la capitale et non pas dans une ville de province. Elle se trouve à Paris en 1957, au moment de la guerre entre la France et l'Algérie. C'est un moment où les Algériens sont très mal vus par les Français, surtout la police. Dans son usine, Elise a rencontré un Algérien, Arezki, 32 ans et leur amitié, secrète car coupable, s'est transformée en amour. L'extrait commence au moment où Elise et Arezki se trouvent dans la chambre d'Arezki, seuls pour la première fois et où devait se dérouler leur premier moment de vraie tendresse.

Je me laissai couler dans ses bras, le visage écrasé contre le tissu rêche de son veston. Un concert fracassant envahit la rue. « Les pompiers », pensai-je. Arezki n'avait pas bougé. Les voitures devaient se suivre, le hurlement s'amplifia, se prolongea sinistrement et s'arrêta sous la fenêtre. Arezki me lâcha. Je venais de comprendre. La police. Je commençai à trembler. Je n'avais pas peur mais je tremblais tout de même. Je n'arrêtais plus de trembler: les sirènes, les freins, le bruit sec des portières et le froid, — je le sentais maintenant — le froid de la chambre. En face, les lumières des chambres s'éteignirent. Je ne savais que faire, sortie si brusquement de ses bras. Il mit d'abord une cigarette dans sa bouche et me tendit mon manteau.

— Tiens, dit-il, évitant de me regarder. Mets-le et rentre chez toi dès que le chemin sera libre.

Je le jetai à l'autre bout de la chambre. Dans l'hôtel, c'était le silence. Quand nous étions montés, un tourne-disque jouait « l'Aïd, l'Aïd ». Tout le temps qu'Arezki me pressait la musique m'avait enveloppée. Maintenant elle s'était arrêtée. Ne nous parvenaient plus que des sifflets et les voix des policiers se répétant des ordres. Ils montaient l'escalier en courant. Leurs pieds lourds cognaient contre les marches. Là, ils atteignaient le palier; là, ils s'arrêtaient; là ils repartaient. Pourquoi Arezki ne voulait-il pas me regarder? Il fumait. Il avait allumé une cigarette et posé l'allumette noircie au bord de la table. Il fumait, calme en apparence, comme s'il ne comprenait, n'entendait rien. Avec le poing ils frappaient aux portes des chambres. Avec le pied aussi, cela se devinait à la force des coups.

— Police!

— Police!

Je ne pouvais parler, me détendre. Dans le noir, immobile, j'écoutais et, par les bruits, je suivais le déroulement de la perquisition comme une aveugle. On sifflait maintenant de l'intérieur de l'hôtel. Quelqu'un cria un ordre et les bruits de pas se précipitèrent. Ils avaient atteint notre étage, et couraient aux issues. Les voix prenaient un son étrange, le silence de l'hôtel les amplifiait. Ils avaient de grosses lampes dont le faisceau pénétrait jusqu'à nous par les jointures usées de la porte. L'un, sans doute à la traîne, arriva en courant.

A la ratonnade, plaisanta-t-il.

Il y eut des rires.

Le plus angoissant était ce silence. Pas de cris, pas de plaintes, aucun éclat de voix, aucun signe de lutte; des policiers dans une maison vide. Puis soudain, il y eut un roulement, un autre, un bruit sourd de chute, de dégringolade. Et le silence par là-dessus. Dans la rue, quelqu'un criait.

— Allez, allez, allez !

Je fis un effort, je me mis debout et marchai jusqu'à la fenêtre. Des hommes montaient dans les cars cellulaires. A certains on avait passé les menottes. D'autres, dans la file, brossaient leurs coudes, rajustaient leurs pantalons. La nuit était claire, froide, pure. Le réverbère, près du car, éclairait la scène, les hommes en file dont je ne voyais de la vitre que les crânes allongés, la laine noire des cheveux. « O race à tête de moutons et comme eux conduits à l'abattoir. . . » Le poème qu'Henri nous avait lu autrefois, lorsque nous attendions la vraie vie. L'un, le dernier de la file, petit, dont les cheveux brillèrent quand il traversa le rond lumineux, ralentit et fouilla dans sa poche. Son nez devait saigner. Il renversait la tête, s'épongeait avec sa manche. Un des policiers l'aperçut, se précipita, saisit aux épaules le petit homme et lui bourrant le dos de coups, le jeta dans la voiture. L'autre manqua la marche, tomba la face sur le pavé. Je me détournai. Je ne bougeai pas tout de suite. Chaque geste me semblait indécent mais je n'en pouvais plus de rester dans ce noir, ce silence, dans cette fumée âcre qui sortait des lèvres d'Arezki, montait, se tordait, se perdait dans les angles. Pourquoi Arezki ne me parlait-il pas ? Il n'avait pas encore bougé. Cette fois, ils frappaient à la porte voisine. Les bizarreries de la construction avaient relégué notre chambre dans un embryon de couloir à droite des cabinets. Il leur fallait les visiter toutes avant d'arriver à notre porte. Mais que faisaient-ils là-dedans? Et les autres, pourquoi ne se débattaient-ils pas? ne criaient-ils pas? J'allais bouger. Je retournerais m'asseoir auprès d'Arezki, je prendrais son bras, je m'y accrocherais. Un cri monta, bref, étouffé. Une galopade vers notre porte. Celui qui se ruait vit-il les issues gardées? Il sembla piétiner, respirant vite et fort, mais les autres déjà le rattrapaient. J'entendis le choc, les exclamations, les coups, le corps traîné, lancé dans l'escalier, le roulement contre les marches. Une musique éclata. « L'Aïd, l'Aïd ». Des claquements de mains, une voix de femme en délire, un bruit d'objet brisé, le tourne-disque sans doute.

C'était à nous. Cela se fit très vite. Arezki alluma, tourna la clé. Ils entrèrent. Ils étaient trois. Quand ils m'aperçurent, ils sifflotèrent.

— Lève tes bras, Algérien, Marocain, Tunisien?

— Algérien.

Ils tâtèrent ses poches, ses manches.

— Tes papiers, ta feuille de paye. La dernière.

— C'est là, dit Arezki, montrant son portefeuille.

— Déshabille-toi.

Arezki hésita. Ils me regardèrent.

— Un peu plus tôt, un peu plus tard, ça sera fait pour tout à l'heure. Vite.

Je ne détournai pas la tête. Je m'appliquai à ne pas bouger, les yeux au-dessus d'Arezki, comme une aveugle qui fixe sans voir. Arezki avait baissé les bras et commençait à retirer son veston. Je ne voulais pas rencontrer son regard, il ne fallait pas que mes yeux quittent le mur au-dessus de sa tête.

— Papiers, Mademoiselle? Madame?

Si j'avais pu ne pas trembler. Pour leur donner ces papiers il me fallait ramasser mon manteau, me baisser, me lever, me relever, autant de gestes douloureux.

— Vous n'avez pas le droit, dit Arezki. Je suis en règle, je n'ai pas d'arme.

— Pas d'histoire, mon frère, déshabille-toi. C'est avec ta paye d'O.S. que tu t'achètes des chemises comme ça?

C'était la blanche, filetée, celle du boulevard Saint-Michel, je la reconnaissais. Devant la porte qu'ils avaient laissée ouverte, deux autres policiers passèrent. Ils encadraient un homme, menottes aux poignets, qu'un troisième par-derrière poussait du genou.

— Alors et là-dedans?

Celui qui venait de parler s'appuya contre la porte.

— Il y a une femme, dit le policier qui se trouvait devant Arezki.

L'autre me regarda durement.

— Tu appelles ça des femmes...!

Ils sortirent dans le couloir. Arezki était toujours encadré par les deux policiers tenant leur arme à l'horizontale.

— Quitte la chemise!

Arezki obéit.

— Allons, continue, le pantalon, que je le fouille!

— Vous l'avez fouillé.

— Lève les bras !

En même temps, celui de gauche rapprocha d'Arezki la bouche de son arme. L'autre défit la boucle qui fermait la ceinture et le pantalon glissa. Arezki n'avait plus rien maintenant qu'un slip blanc. Ils rirent à cette vue.

— Ote-lui ça, il y en a qui planquent des choses dedans!

Tout en parlant il appuyait l'orifice de son arme sur le ventre d'Arezki. L'autre, du bout des doigts tira sur l'élastique et le slip descendit.

— Quand tu es arrivé en France, comment étais-tu habillé? Tu avais ton turban, non? Avec des poux dessous? Tu es bien ici, tu manges, tu te paies de belles chemises, tu plais aux femmes. Tiens, le voilà ton pantalon, et bonne nuit quand même.

Ils sortirent tous ensemble. Je regardai vers la rue où les lumières revenaient peu à peu. La casbah de Paris recommençait à vivre. Je m'attardai à suivre dans le ciel l'écartèlement des nuages. Le plus difficile restait à venir: regarder Arezki. Je me tournai enfin. Il buvait un verre d'eau.

— Tu vas rentrer, dit-il d'une voix neutre.

— Oui, je vais rentrer.

Les mots et les expressions

1. Cherchez les équivalents dans le texte.

a I was shaking nevertheless
b As soon as the coast's clear
c They ran up the stairs
d 'Let's get the coons'
e They had to visit all of them
f No fuss
g The one who'd just spoken
h Some of them hide things in them
i You can afford nice shirts

2. Une bonne partie de cet épisode se passe dans le noir, ce qui amplifie les bruits pour Elise qui n'a jamais connu cette dégradation brutale que représente une rafle policière. Voici une liste en anglais des bruits qui figurent dans l'extrait. Cherchez leurs équivalents dans le texte.

a a deafening chorus
b the howling (grew louder)
c sirens
d brakes
e the clunk (of car doors)
f music
g whistles
h voices
i footsteps
j knocking
k laughter
l moans
m a rumbling
n a muffled sound
o a galloping
p the bang
q exclamations
r clapping

Les faits et les opinions

3. Vrai ou faux? Corrigez les phrases fausses.

a Les pompiers sont arrivés dans la rue
b Elise avait peur
c La musique s'est arrêtée
d Les policiers se comportaient poliment avec les immigrés
e Un policier était très brutal
f Un prisonnier saignait du dos
g Deux policiers sont entrés dans la chambre d'Arezki
h Ils n'étaient pas armés
i Ils ont dit à Arezki et à Elise de se déshabiller
j Arezki a gardé son slip
k Après cet épisode Elise voulait regarder Arezki

4. Les policiers n'ont pas été polis envers Arezki parce que c'est un immigré algérien. Une façon de montrer son dédain est de tutoyer une personne qu'on ne connaît pas. Pouvez-vous rétablir l'ordre de ces commandes et en même temps les mettre à la forme polie (vous)?

a Déshabille-toi! **b** Quitte la chemise! **c** Continue! **d** Lève les bras!

5. Regardez encore une fois les pages 70–71. «Un des policiers. . . tout de suite.» Relevez tous les exemples des verbes au passé simple et mettez-les au passé composé.

6. Expliquez dans vos propres mots les phrases suivantes.

a «O race à tête de moutons et comme eux conduits à l'abattoir.»
b Tu appelles ça des femmes. . . !
c La casbah de Paris

Imaginez. . .

7. Témoignages

Un des journaux parisiens a demandé à Arezki et à un des policiers qui l'a interrogé de donner leurs versions de l'affaire. Vous devez donc écrire ces deux témoignages en tenant compte de ce qu'Arezki a subi (et pas pour la première fois) et des convictions racistes du policier qui fait sans doute son travail avec un certain plaisir et ne voit jamais les «ratons» comme des individus ni même comme des hommes.

Texte C: «Le procès de Roger Maillard»

Tiré d'une transcription de TF1, 1991

Voici la transcription d'un compte rendu de Claire Chazal, qui présentait ce journal télévisé en 1991 sur TF1. Cela raconte les circonstances dans lesquelles un jeune d'origine arabe (parents immigrés) a été tué par un alcoolique raciste et violent dénommé Roger Maillard.

Tout d'abord, balayez ce texte en cinq minutes maximum pour en connaître les éléments de base plutôt que les détails:

Roger Maillard qui comparaissait pour le meurtre d'un jeune Beur a été condamné à 13 ans de réclusion criminelle. Maillard avait tiré sur des jeunes au pied de son immeuble après, avait-il expliqué, avoir été réveillé par le bruit. L'Avocat Général avait requis de 12 à 15 ans de réclusion criminelle.

Quelques barres de béton grisâtre érigées dans les années soixante, des arbres maigrelets, des parkings, des passerelles et 12000 habitants, ouvriers, employés ou chômeurs. La cité des Fauvettes de Neuilly-sur-Marne est d'ordinaire plutôt calme. Le soir venu, été comme hiver, les jeunes de la cité se donnent rendez-vous sur la passerelle. On y joue aux cartes, on y discute, parfois un peu fort. Le soir du 4 octobre 1990, Khemissi Karar, avec une dizaine de copains, ont annexé la passerelle située au pied d'une tour de quinze étages. Peu après 23 heures, un coup de feu venu d'un appartement. Khemissi s'effondre, une balle de 22 long rifle en plein cœur. La mort sera instantanée. Dès le lendemain, un voisin est arrêté et passe aux aveux. C'est cet homme, Roger Maillard, qui comparaît aujourd'hui devant ses juges. Un retraité de 61 ans, détruit par l'alcool, qui vivait cloîtré, à l'écart du monde, dans son appartement au-dessus de la passerelle. Le jour du crime, Roger Maillard était ivre, comme tous les jours depuis 40 ans. Il entend les bruits et les rires des jeunes de la cité. Il s'empare de son revolver chargé qu'il a toujours à portée de la main et tire au jugé dans le groupe. Pour sa défense, Maillard, soutenu par son avocat, explique que le bruit était insupportable et qu'il a voulu tirer sur un lampadaire en guise d'avertissement pour faire cesser le vacarme. Mais les témoins qui se sont succédé à la barre pendant deux jours ont expliqué que ce soir-là, tout était calme. Au fil des audiences, le portrait du meurtrier se précise. Maillard est un récidiviste, un violent qui bat sa femme régulièrement et a fait usage d'armes à feu à deux occasions déjà. Face à lui la famille et les amis de la victime. Il avait 19 ans, un emploi stable. C'était, au dire d'un des experts, un exemple d'intégration réussie.

Quinze jours après l'acquittement de la boulangère de Reims, chacun guettait le verdict du jury populaire de Bobigny. Après trois heures de délibération, la sentence est tombée: 13 ans de prison ferme pour Roger Maillard.

Dominique Tricot – avocat de la famille Karar:
«Il y eu dans les semaines passées un verdict qui a fait très peur à tous les démocrates dans ce pays parce qu'on avait le sentiment que la mort d'un Beur, ça coûtait rien. Aujourd'hui, on sait que la mort d'un Beur, que le fait de tuer sous des prétextes de bruit, ça coûte 13 ans».

Les associations antiracistes et les proches de la victime craignaient que la justice ne soit trop clémente. La lourde peine infligée à Roger Maillard les a apparemment rassurés et à la lecture du verdict, il n'y eut aucune manifestation, juste le silence et la dignité.

Les mots et les expressions

1. Balayez encore une fois la transcription ou relisez le texte et cherchez les mots et les expressions suivants.

a a young North African
b the prosecutor
c in the 60s
d a gunshot
e collapses
f the very next day
g a pensioner
h takes a pot shot
i with the support of his defence lawyer
j there was no demonstration

Les faits et les opinions

2. Maintenant relisez le texte et décidez, en consultation avec votre voisin(e), si les affirmations suivantes sont vraies ou fausses.

a La cité des Fauvettes est connue pour des incidents de ce genre.
b Les jeunes de la cité se retrouvent chaque soir sur la passerelle.
c La passerelle est située au bas de la tour où réside Roger Maillard.
d Le coup de feu a été tiré à 23 heures précises.
e Khemissi Karar n'est pas mort tout de suite.
f Le coupable a été arrêté une semaine après l'incident.
g Le coupable était au chômage.
h Roger Maillard a agi sous l'influence de l'alcool.
i Maillard a essayé de persuader le jury qu'il s'agissait d'un accident.
j Les témoins ont aussi expliqué que le bruit était insupportable.
k Maillard vivait seul dans son appartement.
l Maillard n'a jamais utilisé d'armes à feu auparavant.
m La victime était aussi au chômage.
n Roger Maillard a été condamné à treize ans de prison avec sursis.
o Les mouvements antiracistes sont satisfaits de la sentence.

3. Finalement, lisez les phrases suivantes; elles font le résumé de l'article. A vous de les ranger dans le bon ordre.

a Khemissi Karar est touché en plein cœur.
b A la cité des Fauvettes, les jeunes se retrouvent sur la passerelle.
c Après trois heures de délibération, Roger Maillard est condamné à treize ans de prison.
d Il meurt sur le coup.
e Ils y jouent aux cartes ou y discutent.
f Les associations antiracistes sont satisfaites du verdict.
g Peu après, on arrête Roger Maillard, un alcoolique de 61 ans.
h Le soir du 4 octobre, un homme ne supporte pas le bruit.
i Elles quittent le tribunal avec calme et dignité.
j Il tire au hasard en direction de la passerelle.
k Chaque soir ils s'y donnent rendez-vous.
l Alors il s'empare de sa carabine.
m L'accusé passe au tribunal.

Texte D: «Vitrolles: des bébés bien primés»

Tiré de *Sud-Ouest*, 4 février 1998

Vitrolles est une petite ville du Sud de la France qui est connue du fait qu'elle est contrôlée par le Front National, le parti raciste d'extrême-droite. Lisez cet article de journal qui parle de leur dernière initiative que la plupart des gens trouvent raciste.

VITROLLES

Des bébés bien primés

■ La mairie Front National de Vitrolles a organisé hier pour la presse une cérémonie de remise de la première «allocation municipale de naissance» liée à «la préférence nationale», une prime qui a de fortes chances d'être annulée par la justice administrative. La «première allocation», de 5 000 francs, a été remise par Hubert Fayard, premier adjoint de Catherine Mégret, aux parents d'une fillette née le 3 janvier, dans la salle du Conseil municipal. La mairie a décidé d'accorder l'allocation à toutes les familles dont au moins l'un des parents est «français ou ressortissant de l'Union européenne» et résidant à Vitrolles depuis «au moins deux ans».

Après le versement de «l'allocation», le préfet des Bouches-du-Rhône a déféré devant le tribunal administratif de Marseille, avec demande de sursis à exécution, la délibération de la mairie. La mesure a été qualifiée de «scandaleuse» par Jean-Claude Gaudin (UDF), en tournée de campagne à Vitrolles hier matin avant les élections régionales et cantonales.

Le candidat PS à la présidence de la région, Michel Vauzelle, avait, quant à lui, dénoncé cette «basse opération de communication à l'approche des élections régionales». Sur les panneaux municipaux, la mairie FN a placardé des affiches montrant un bébé joufflu aux yeux bleus avec le slogan «Bienvenue».

* UDF: Union pour la démocratie française
PS: Parti socialiste
FN: Front National

Les mots et les expressions

1. Cherchez les mots et les expressions suivants.

- **a** allowance
- **b** is very likely to
- **c** cancelled
- **d** was given out
- **e** for at least two years
- **f** deferral
- **g** touring
- **h** as far as he's concerned
- **i** with chubby cheeks

Les faits et les opinions

2. Maintenant, faites les bonnes associations pour déterminer qui est quoi.

- **a** Hubert Fayard
- **b** Catherine Mégret
- **c** la fillette
- **d** Jean-Claude Gaudin
- **e** Michel Vauzelle

- **i** celle dont les parents ont reçu 5 000 francs
- **ii** un membre du Parti socialiste
- **iii** le maire de Vitrolles
- **iv** le bras droit du maire
- **v** un membre du parti gaulliste

3. Finalement, déterminez, en écrivant *oui* ou *non* pour chaque couple, s'ils ont droit aux 5 000 francs d'allocation municipale de naissance. Pour ceux où vous avez écrit *non*, expliquez pourquoi.

- **a** Le père et la mère sont français et habitent Vitrolles depuis trois ans.
- **b** Le père et la mère sont français et habitent Vitrolles depuis un an.
- **c** Le père est français, la mère est anglaise et ils habitent Vitrolles depuis deux ans.
- **d** Le père et la mère sont anglais et habitent Vitrolles depuis trois ans.
- **e** Le père est français, la mère arabe et ils habitent Vitrolles depuis cinq ans.
- **f** Le père est africain, la mère est italienne et ils habitent Vitrolles depuis dix ans.
- **g** Le père et la mère sont beurs et habitent Vitrolles depuis qu'ils sont nés.
- **h** Le père est italien, la mère allemande et ils habitent Vitrolles depuis deux ans.

Texte E: *Ton fils*

Tiré de *Gang*, Johnny Hallyday, 1986

Cette belle chanson qui, comme *Né en 17 à Leidenstadt*, a été composée par Jean-Jacques Goldman, est la neuvième de l'album de Johnn Hallyday *Gang*, qui est sorti en 1986. Dans la chanson, Johnny Hallyday s'adresse à un travailleur immigré d'Afrique du Nord qui habite depuis longtemps en France et qui a maintenant un fils né en France. Johnny Hallyday, en parlant à ce travailleur, lui dit comment il voudrait que soit son fils: il voudrait qu'il ne souffre pas de la discrimination dont il a lui-même souffert. Autrement dit, il veut que, pour son bien, son fils soit différent de lui.

Les faits et les opinions

1. Ecoutez ou lisez la chanson une première fois juste pour la découvrir et une deuxième fois et autant de fois qu'il le faut pour bien la comprendre tout en mettant les mots qui manquent. Si vous avez vraiment des problèmes, la liste vous est fournie (page 77). Votre professeur peut vous fournir le texte complet de la chanson.

Ton fils
On perd sa .... parfois
A devoir la ....
Y'en a qui naissent rois
D'autres du mauvais côté

Toi tu viens d'un .... que t'as presque oublié
De .... et de soleil et d'éternel été
Ceux qui ont de la chance y passent leurs vacances
Mais .... qui y sont nés ne peuvent y travailler
Après toutes ces années, juste pour exister
J'ai juste .... de dire à tes yeux fatigués

Je voudrais que ton fils vive .... que toi
Qu'on le respecte, mieux qu'on le vouvoie
Comme un homme,
Un Monsieur qui baisse pas les ....
Pareil à tous ces .... qui parlent sans accent
Je voudrais que ton fils vive mieux que toi
Qu'il ait .... ses chances, tous ses droits
Qu'il ait une signature, des mains blanches, une voiture
Et des .... d'identité, à perpétuité

T'es pas un grand causeur on t'l'a jamais demandé
T'as payé en sueur le prix qu' .... payer
Tu voulais qu'il ait tout sans jamais rien ....
Pour qu'il ait toutes ses chances,
Comme les enfants de France
Pour un dernier désir, pour une ultime envie
La seule raison de .... à un sens de ta vie

Je voudrais que ton fils vive mieux que toi
Qu'on le respecte, mieux qu'on le ....
Comme un homme,
Un Monsieur qui .... pas les yeux
Pareil à tous ces gens qui parlent sans accent
Je voudrais que ton fils vive mieux que toi
Qu'il ait toutes ses chances, tous ses droits,
Qu'il ait une signature, des mains blanches, une voiture
Et des papiers d'identité, à perpétuité

baisse ceux compter croire envie gagner gens il faut mieux papiers pays sable toutes vie vouvoie yeux

2. Ecoutez ou lisez bien la chanson et relevez tout ce que Johnny voudrait que «ton fils» soit.
par exemple: que son fils vive mieux que lui

A partir de ça, concluez ce que cela veut dire en ce qui concerne la façon dont on traite les travailleurs immigrés en France. Est-ce un portrait juste ou trop négatif? Discutez-en en groupe après la mise en commun.

Sujets de rédaction/coursework

1. La France est le pays d'Europe occidentale qui a le parti politique d'extrême-droite le plus puissant. Expliquez le succès du Front National auprès de certains secteurs de la population.

Pour vous aider:
- Commencez par un peu d'histoire: pendant la Seconde Guerre mondiale, le gouvernement de Vichy était ouvertement raciste et a collaboré avec les Allemands au génocide des juifs. Vichy (1940 à 1945), puis la guerre d'Algérie (1954 à 1962), ont rendu le racisme politiquement «incorrect», surtout du vivant du Général de Gaulle. Après cela, la droite a gagné beaucoup de terrain, surtout après l'effondrement du communisme en 1989.
- Identifiez les endroits où le Front National est puissant et analysez ses arguments.
- Qui vote pour le Front National? Pourquoi?

2. Une France multiculturelle paisible et harmonieuse: rêve ou réalité?

Pour vous aider:
- Déterminez quelles sont les principales cultures/races qui sont représentées dans la France actuelle.
- Où y a-t-il harmonie? Pourquoi?
- Où y a-t-il conflit? Pourquoi?
- Et le Front National? Est-ce qu'il a une influence dans tout cela?

3. Immigration/racisme: le même problème?

Pour vous aider:
- Quelles sont les origines principales des immigrés en France?
- Où habitent-ils principalement?
- Le Front National est le parti d'extrême-droite le plus ouvertement raciste en France. Où est-il le plus représenté? Et le plus puissant? Qui vote pour eux? Pourquoi?

Sources supplémentaires

Ligue des Droits de l'Homme
27 rue Jean Dolent
75014 Paris
France
Tél. 0033 1 44 08 87 29

Ligue de l'enseignement
3 rue Récamier
75007 Paris
France
Tél. 0033 1 43 58 97 33

Ligue Internationale contre le Racisme et l'Antisémitisme
40 rue de Paradis
75010 Paris
France
Tél. 0033 1 47 70 13 28

SOS Racisme
14 cité Griset
75011 Paris
France
Tél. 0033 1 48 06 40 00

Mouvement contre le Racisme et pour l'Amitié des Peuples
89 rue Oberkampf
75011 Paris
France
Tél. 0033 1 48 06 88 00

La racisme
(Les Essentiels n° 22, Editions Milan–France, 1995)

Un Sac de billes, L'Etranger* et *Germinal
Photocopiable text dossiers in *Thèmes et Textes* Tutor's Book

Site Internet: Le CD-ROM contre le racisme
www.france-libertes.fr/passeport/cdrom.htm)

Films à regarder
Un Sac de billes (Jacques Doillon, 1975)
La Haine (Mathieu Kassovitz, 1995)
Germinal (Claude Berri, 1993)
Les Misérables (Claude Lelouch, 1995)

Dossier: Le cinéma de François Truffaut

Table des matières

Texte A: «François Truffaut – réalisateur»

Tiré du dossier *L'Argent de poche,* Série collège au cinéma

FRANÇOIS TRUFFAUT – REALISATEUR

Né en 1932, à Paris, d'un père architecte-dessinateur et d'une mère qui ne l'aimait guère et qui exerçait le métier de secrétaire à *L'Illustration*, Truffaut, dès l'âge de 14 ans, commence à exercer des « petits métiers »: garçon de course, magasinier, employé de bureau, soudeur à l'acétylène, et même quelque temps pensionnaire d'une maison de correction. En 1947, il fonde avec un ami d'enfance, Robert Lachenay, un ciné-club de courte durée: *le Cercle Cinémane*. C'est à cette époque qu'il rencontre André Bazin, alors responsable de la section cinématographique de *Travail et Culture*. Celui-ci, qui jouera jusqu'à sa mort, un rôle de père, le fait travailler en sa compagnie puis, grâce à ses recommandations, lui permet d'écrire ses premiers articles dans *La Gazette du cinéma* dirigée par Eric Rohmer. Touché par une telle passion pour le cinématographe, jointe à une belle détermination, Bazin s'attache au jeune homme.

En 1951, Truffaut interrompt ce début de carrière critique pour effectuer son service militaire. Démobilisé en 1953, il entre au service cinématographique du ministère de l'Agriculture et commence à écrire dans *Arts* et aux *Cahiers du Cinéma*. Il publie alors le fameux et sulfureux article: « Une certaine tendance du cinéma français » (*Cahiers du cinéma*, n° 31) attaquant de manière virulente les scénaristes Aurenche et Bost, et la quasi-totalité des cinéastes français en activité (à l'exception de Renoir, Guitry et quelques autres). Ce texte, sans doute excessif et donc discutable, n'en est pas moins considéré comme un des textes fondateurs du mouvement critique qui allait donner naissance à la Nouvelle vague.

En 1954, il réalise son premier court métrage: ***Une visite*** (avec Jacques Rivette à la caméra et Alain Resnais au montage). Deux ans plus tard, il devient « l'assistant » de Roberto Rossellini pour deux films qui ne seront jamais tournés. Il gardera cependant un excellent souvenir de cet apprentissage.

En 1958, il réalise son deuxième court métrage, ***les Mistons***, suivi aussitôt après des ***400 Coups***, long métrage pour lequel il crée, avec son ami Marcel Bébert, une société de production: *les Films du Carosse* (référence-hommage au film de Jean Renoir : ***le Carosse d'or***). Il est intéressant de remarquer que, très tôt, Truffaut se dote d'un cadre artisanal dans lequel il espère pouvoir réaliser les films qu'il veut, en évitant les commandes ou, pire, les films strictement « alimentaires ».

Qu'en eût-il été si les ***400 Coups*** avait « fait un bide »? Sans doute la société de production eût-elle sombré? Heureusement, tel ne fut pas le cas. Le film obtient un succès public et critique considérable et de nombreux prix dont celui de la mise en scène au Festival de Cannes 1959. D'inconnu qu'il était, Truffaut devient célèbre et désormais, bon an mal an, peut poursuivre sa carrière de réalisateur, tout en continuant, de temps à autre, à écrire (citons un des livres de référence : *le Cinéma selon Hitchcock* publié en 1966 à partir de 50 heures d'entretiens avec le cinéaste).

Sa passion pour la littérature (au moins égale à son amour du cinéma) l'amènera à tourner à peu près autant d'adaptations de romans, de nouvelles ou de récits historiques que de scénarios originaux.
Atteint d'une tumeur cérébrale, il meurt en 1985.
Très apprécié en dehors de l'Hexagone, surtout après ***la Nuit américaine*** (« Oscar » aux Etats-Unis du meilleur film étranger), Truffaut reste l'un des réalisateurs français de ces trente dernières années à avoir acquis une stature internationale, peut-être parce qu'il a représenté un ensemble de traits attribués à la « French touch »: le charme, l'impertinence, l'humour léger, les amours folles, l'obsessionnalité du discours amoureux, le goût du paradoxe... Mais tout cela bien organisé, bien produit, efficace, « carré », comme s'il avait su très tôt que, pour lui, à la différence de ses copains « intellos » plus fortunés de la Nouvelle vague, ce serait le cinéma... ou rien.

Les mots et les expressions

1. Liez les phrases françaises avec leurs traductions anglaises.

a qui ne l'aimait guère
b un ami d'enfance
c de courte durée
d jusqu'à sa mort
e qui allait donner naissance à
f qui ne seront jamais tournés
g se dote d'un cadre artisanal
h tel ne fut pas le cas
i de nombreux prix
j bon an mal an
k en dehors de l'Hexagone
l à la différence de ses copains

i which will never be made
ii such was not the case
iii which was to give birth to
iv many prizes
v outside France
vi who scarcely loved him
vii a childhood friend
viii until his death
ix on average
x short-lived
xi unlike his friends
xii sets himself up as a cottage industry

Les faits et les opinions

2. Lisez le texte puis répondez *vrai* ou *faux* aux phrases suivantes. Corrigez les phrases fausses.

a Truffaut avait une mère qui l'adorait.
b Il a commencé à travailler à quatorze ans.
c Il est allé en prison.
d Son père s'appelait André Bazin.
e Truffaut a fini son service militaire en 1953.
f Dans son article «Une certaine tendance du cinéma français», Truffaut a attaqué tous les cinéastes français.
g *Les 400 coups* était son premier long métrage.
h Truffaut a gagné le prix du meilleur metteur en scène au Festival de Cannes en 1959.
i Truffaut était passionné de littérature.
j Truffaut n'était pas très connu en dehors de la France.

3. Expliquez dans vos propres termes le sens des mots et des phrases suivants.

a un film alimentaire
b faire un bide
c une stature internationale
d «carré»
e ses copains «intellos»

Texte B: «L'état d'enfance chez François Truffaut»

Tiré du dossier *Les 400 coups* du Centre national de la cinématographie

L'ETAT D'ENFANCE CHEZ FRANÇOIS TRUFFAUT

François Truffaut a toujours été fasciné par l'enfance. Toute son œuvre en témoigne. « Selon moi, l'âge passionnant, celui qui offre le plus de possibilités cinématographiques, se situe entre huit et quinze ans, l'âge de l'éveil de la conscience, celui de la pré-adolescence ». C'est l'âge qu'il choisit de donner à son héros dans son premier long métrage *Les quatre cents coups*. Tournant le dos à la mièvrerie, le jeune cinéaste opte pour le naturel et l'authenticité. Il crée le personnage d'Antoine Doinel qu'il suivra durant toute sa saga (*L'amour à vingt ans, Baisers volés, Domicile conjugal*).

A travers l'histoire de ce garçon mal aimé, il dépeint le drame de l'adolescence au quotidien avec sa quête éperdue de bonheur. Il crée une poésie de la quotidienneté émanant des gestes et événements anodins. Chez lui, le poétique vient du réel et non d'un quelconque artifice. Autre film basé exclusivement sur l'enfance: *L'enfant sauvage*. En 1798, un garçon de douze ans est capturé dans une forêt de l'Aveyron. Un docteur le recueille et se charge de son apprentissage: il lui apprend à lire, écrire, parler, communiquer, vivre en société... François Truffaut interprète lui-même ce rôle d'initiateur et de soutien affectif. Rôle qu'il assumait d'ailleurs dans la vie en tant que formateur auprès de ses jeunes acteurs.

L'argent de poche suit une bande d'écoliers au cours de leurs derniers jours de classe avant les vacances. Le monde des adultes apparaît ici moins hostile que dans *Les quatre cents coups*: l'instituteur revêche est devenu un copain, presque un frère; les parents sont plus attentifs... Les petits événements ordinaires font pénétrer dans l'univers de tous ces enfants dont le comportement diffère selon leurs milieux sociaux et familiaux. L'école devient ici un lieu privilégié pour observer leurs problèmes et leur façon de vivre les uns avec les autres. Par là, se dessine un portrait de l'enfance dans toute sa véracité.

François Truffaut voue aux enfants une adoration faite de compréhension et de respect. Il sait les diriger comme personne, sans jamais les embarquer malgré eux dans une direction. Il se met à l'écoute de leurs émotions afin de mieux les capter et de les transmettre ensuite à l'écran. En les faisant collaborer à l'élaboration du film, il fait appel à leur sens pratique et à leur approche de la réalité. Contrairement aux adultes, les enfants ne trichent pas face à la caméra. Ils ne jouent pas, ils sont. Truffaut l'a très bien compris. Hormis les films principalement axés sur l'enfance, il a truffé son œuvre de références à cet âge ou du moins à l'état d'enfance présent en chaque individu. Pour lui, l'homme n'arrête pas de grandir, conservant une fausse innocence et un côté rêveur. Antoine Doinel fera preuve, tout au long de ses aventures, de cette ingéniosité, cette effronterie et ce caractère enfantin si précieux pour son auteur.

Les mots et les expressions

1. Cherchez les équivalents dans le texte.
- **a** his whole work is witness to the fact
- **b** his first full-length feature film
- **c** unloved
- **d** day to day
- **e** the adult world
- **f** according to their social and family backgrounds
- **g** with one another
- **h** unlike adults

2. Cherchez les mots et les expressions synonymes de ceux ci-dessous.
- **a** se trouve
- **b** sans importance
- **c** s'occupe de son éducation
- **d** un endroit spécial
- **e** les enfants sont honnêtes devant la caméra
- **f** qui s'occupent surtout de

3. Copiez et complétez la grille suivante avec les substantifs et les adjectifs qui manquent.

Substantif	**Adjectif**
enfance	**(a)**
(b)	possible
(c)	conscient
mièvrerie	**(d)**
(e)	authentique
quotidienneté	**(f)**
(g)	artificiel
attention	**(h)**
(i)	vrai
individu	**(j)**
(k)	rêveur
(l)	prouvé

Les faits et les opinions

4. Répondez en français aux questions suivantes.
- **a** Comment sait-on que Truffaut était fasciné par l'enfance?
- **b** Comment s'appelle le personnage principal des «*400 Coups*»?
- **c** Qui joue le rôle du docteur/tuteur dans «*L'Enfant sauvage*»?
- **d** Dans quel film est-ce que l'instituteur est presqu'un copain?
- **e** Que fait Truffaut pour capter l'essentiel chez les enfants?
- **f** Que dit-il de l'état d'enfance vis-à-vis des adultes?

5. Donnez l'opinion de Truffaut sur les sujets suivants.
- **a** L'enfance
- **b** L'école (dans *L'Argent de poche*)
- **c** Entre huit et quinze ans
- **d** Les adultes devant la caméra
- **e** L'homme

Texte C: «L'influence de Hitchcock»

Tiré du livre *Aline Desjardins s'entretient avec François Truffaut*

A.D.: *François Truffaut, comment vous êtes-vous intéressé à Hitchcock?*

F.T.: Ah! Hitchcock! Je me suis intéressé à ses films dès le début, et pour les raisons que nous avons dites tout à l'heure, d'identification. Hitchcock soigne tellement la notion de plausibilité, il soigne tellement la narration, il soigne tellement le côté envoûtant, le côté poignant... Disons que si on aime le cinéma en tant qu'évasion, eh bien! on s'évade dix fois plus dans un film d'Hitchcock parce que c'est mieux raconté. Il raconte des histoires modernes, des histoires de gens ordinaires à qui il arrive des choses extraordinaires; n'oubliez pas que j'avais grandi dans la peur et que Hitchcock est le cinéaste de la peur. On entre dans ses films comme dans un rêve d'une telle beauté formelle, tellement harmonieux, tellement rond... J'ai très vite admiré Hitchcock et j'ai pris l'habitude de voir ses films de nombreuses fois et ensuite quand j'ai fait des films, je me suis rendu compte que lorsque j'avais des difficultés de mise en scène, c'est en pensant à Hitchcock que je pouvais trouver les solutions, et un jour j'ai entrepris ce livre, *Le cinéma selon Hitchcock*.

A.D.: *Comment avez-vous connu et avez-vous aimé Hitchcock?*

F.T.: Hitchcock, je l'ai aimé à tous les stades, je l'ai aimé comme cinéphile, après je l'ai aimé comme critique et puis, étant cinéaste, mon admiration ne s'est pas démentie. Je ne voyais pas les films de la même façon quand j'étais cinéphile; c'était un peu comme une drogue, on se saoulait de films; il m'arrivait d'avoir vu des films sept ou huit fois, mais d'être incapable de les raconter, tellement l'image m'avait grisé; j'apprenais par cœur la musique, la bande sonore, j'avais tout cela dans la tête. J'ai une mémoire plus auditive que visuelle. Puis, lorsque j'étais critique, j'ai vu les films d'une façon un peu plus froide. La nécessité d'avoir à écrire sur un film, par exemple d'en résumer le sujet, était une contrainte formidable et j'ai l'impression que ça m'a aidé plus tard pour construire des scénarios. J'ai été très aidé par ces quatre années pendant lesquelles dans *Arts*, chaque semaine, j'étais obligé de dire pourquoi j'avais aimé; c'est une chose, avec des copains, de dire: «C'est génial ou c'est dégoûtant», et c'est autre chose que de devoir expliquer aux lecteurs chaque semaine les raisons de son enthousiasme. Ensuite, comme cinéaste, on regarde les films d'une troisième façon, parce qu'on les regarde par rapport à soi: «Est-ce que j'aurais pu faire ça, est-ce que j'aurais fait autrement?» Les films qui m'ont beaucoup marqué dans l'histoire du cinéma, je les connais selon les trois stades. Pour moi, il y a *Citizen Kane* que j'ai vu à 14 ans, comme cinéphile, *Citizen Kane* que j'ai revu comme critique (je crois même que j'ai fait un article dans *l'Express*) et puis *Citizen Kane* que je vois maintenant, moi-même faisant du cinéma. Hitchcock étant le cinéaste qui résistait le mieux à l'épreuve des visions multiples et répétées, j'ai eu envie un jour d'écrire ce livre, *Le cinéma selon Hitchcock*, surtout à l'usage des critiques américains parce que j'ai été déçu quand j'allais présenter mes films à New York, de voir les critiques condescendants à l'égard d'Hitchcock; ils ne semblaient pas comprendre les raisons de l'admiration dans laquelle on le tient en Europe.

A.D.: *On dit volontiers d'Hitchcock qu'il est cinématographique et que vous êtes plutôt littéraire. Est-ce que c'est le cas?*

F.T.: Je ne sais pas, probablement, je suis littéraire. J'aime les phrases, j'aime les mots, j'aime beaucoup le style. Hitchcock est un grand cinéaste visuel; il a quelque chose d'inimitable, d'unique qu'ont certains metteurs en scène qui ont commencé avec le muet; c'est vrai aussi pour Chaplin, vous savez. Quand on voit un film comme *La Comtesse de Hong Kong*, il y a des gens qui aiment ou qui n'aiment pas, mais aucun metteur en scène n'ayant pas fait 10 ans ou 15 ans de cinéma muet n'aurait pu faire *La Comtesse de Hong Kong* comme c'est tourné. C'est un travail d'une précision, d'une netteté absolument inatteignables pour quelqu'un qui serait venu au cinéma plus tard. C'est l'un des mobiles qui m'ont poussé à faire ce livre. Je sentais que cette génération qui a appris à s'exprimer d'une facon purement visuelle, sans les mots, à partir de 1920 à peu près, détenait des secrets qui allaient être perdus; c'est la génération de John Ford, de Hawks, de Raoul Walsh, et il faut ajouter que Hitchcock n'avait jamais parlé sérieusement de ces films, parce qu'il avait toujours répondu aux interviews à la blague, par des dérobades, mais je savais qu'il pouvait donner des réponses sérieuses à des questions sérieuses; ça valait la peine d'essayer. Je le connaissais pour l'avoir interviewé souvent entre 1955 et 1958, j'étais devenu cinéaste, je lui ai écrit après *Jules et Jim* en 1962, et lui ai proposé le principe de ce livre; il a accepté.

Les mots et les expressions

1. Dans ce texte il y a des mots techniques appartenant au monde du cinéma. Voici une liste en anglais de ces termes. Cherchez les équivalents.

a the story-line
b cinema as escapism
c film director (two terms)
d direction
e film-lover
f cinema critic
g soundtrack
h screenplay
i silent films
j to make a film

Les faits et les opinions

2. Vrai ou faux? Corrigez les phrases fausses.

a Truffaut a découvert Hitchcock assez tard dans sa carrière.
b Les personnages dans les films de Hitchcock sortent de l'ordinaire.
c Hitchcock faisait beaucoup de films d'épouvante.
d Truffaut pensait à Hitchcock lorsqu'il avait des difficultés de mise en scène.
e Truffaut a moins aimé Hitchcock quand il est devenu lui-même cinéaste.
f Quand il était jeune, Truffaut avait pris l'habitude de boire pendant les séances de cinéma.
g Truffaut retenait plus facilement les sons que les images.
h Truffaut a été déçu par les critiques américains.
i Le cinéma muet a accentué le côté visuel chez les cinéastes qui y ont débuté.
j Hitchcock était incapable de répondre sérieusement aux interviews.

3. De qui s'agit-il, de Truffaut ou de Hitchcock?

a des films où on peut facilement s'évader
b il s'agit de gens ordinaires
c ses films font peur
d il avait des problèmes de mise en scène
e des films harmonieux et d'une beauté formelle
f a écrit un livre, *Le Cinéma selon Hitchcock*
g a une mémoire auditive
h était déçu par les critiques américains
i plus admiré en Europe qu'aux Etats-Unis
j un cinéaste très visuel
k ne répondait jamais sérieusement aux interviews

4. Répondez en français aux questions suivantes.

a A partir de quel moment Truffaut s'est-il intéressé aux films de Hitchcock?
b En gros, quel est l'essentiel du contenu des films de Hitchcock?
c A quel moment Truffaut a-t-il trouvé utile de penser à Hitchcock?
d Chez Truffaut, quelle différence y avait-il entre la façon dont il regardait les films lorsqu'il est devenu critique de cinéma et sa façon de les regarder lorsqu'il était simplement cinéphile?
e Pourquoi Truffaut a-t-il décidé d'écrire *Le Cinéma selon Hitchcock*?
f Selon Truffaut, les cinéastes comme Hitchcock avaient un côté très visuel. Pourquoi?
g Hitchcock avait tendance à ne pas répondre sérieusement aux interviews. Pourquoi Truffaut pensait-il pouvoir le persuader de donner des réponses sérieuses pour son livre?

Texte D: «La vie est si courte. . .»

Tiré de *Portraits de cinéastes, un siècle de cinéma* de Tay Garnett

LA VIE EST SI COURTE...

PAR FRANÇOIS TRUFFAUT

Faire un film est un acte intellectuel parce que cela implique toutes sortes de choix à faire et de décisions à prendre. C'est aussi un acte artistique parce que le goût nous dicte ces choix et ces décisions. C'est également un acte émotionnel car notre sensibilité entre en jeu et aussi notre intuition.

Il me semble que c'est une erreur de croire qu'un cinéaste est quelqu'un qui a quelque chose à dire. Un film de quatre-vingt-dix minutes dit beaucoup moins de choses qu'un article de journal de trois mille mots. D'autre part, la réalisation d'un film dure huit semaines pendant lesquelles on n'enregistre que deux à trois minutes de pellicule utile chaque jour. A cause de cette lenteur d'exécution du médium, je pense que l'homme qui voudrait seulement délivrer un message urgent comprendrait vite qu'il est plus efficace pour lui de se tourner directement vers l'action sociale, politique ou vers le journalisme.

Il ne faut pas se dissimuler que celui qui tourne un film se comporte comme un enfant devant son jeu de construction: il s'isole du monde et en construit un autre, accordé à ses désirs. Lorsqu'il dirige, entouré de trente personnes, des prises de vues montrant une voiture poursuivie par une autre ou un homme entrant en courant dans un ascenseur ou deux amoureux qui approchent leurs visages l'un de l'autre, le metteur en scène est un enfant et, même s'il tourne un film adulte, il est animé pendant son travail de l'esprit d'enfance qu'il n'a probablement jamais perdu. Par ailleurs, la conception, la réalisation et la finition d'un film occupent généralement neuf mois de notre vie. La comparaison avec l'enfantement s'impose donc; j'admets qu'elle est facile au point d'être un cliché et pourtant je suis convaincu de la vérité de ce cliché, en tout cas en ce qui me concerne: je fais des films pour éprouver les émotions de la maternité et la plénitude qu'elle procure.

Je peux ajouter que le cinéma a été dans mon adolescence une sorte de refuge; à cause de cela, je lui porte un amour presque religieux. Je ne peux avoir pour aucun homme politique le même intérêt que pour les cinéastes que j'admire et je crois fermement que, dans l'histoire de l'Angleterre au XXe siècle, Charlie Chaplin est plus important que Winston Churchill.

En résumé, je fais des films pour me faire du bien et, quand ils sont réussis, ils peuvent éventuellement faire du bien aux autres, ce qui est l'idéal, car l'égoïsme et le narcissisme attachés à la création sont un motif de culpabilité et d'anxiété pour celui qui crée.

Je n'ai jamais l'impression de chercher une idée de film car chaque fois que je choisis un sujet, cela signifie que j'en écarte deux ou trois autres... La vie est si courte... Trop courte... Dans mes choix j'écarte les pures comédies car la vie n'est pas tellement drôle, j'écarte les purs drames car la vie n'est pas si tragique, j'écarte les histoires de gangsters car je n'aime pas ces gens-là, j'écarte les histoires de policiers et de politiciens pour les mêmes raisons. Je m'efforce de ne filmer ni des bateaux ni des chevaux car ils me font peur, ni des gens vêtus d'uniformes car ils m'ennuient. Je ne montre presque jamais des gens qui nagent, skient ou dansent car je ne sais ni nager, ni danser, ni skier et je ne comprends rien aux sports. Alors, pour choisir mes sujets, procédant par élimination, je travaille avec ce qui reste: les histoires d'amour et les histoires d'enfants. Si un metteur en scène de films peut se comparer à un capitaine de bateau en perdition, j'adopte ce slogan bien connu: « Les femmes et les enfants d'abord! »

F.T.

Les faits et les opinions

1. En vous appuyant sur le texte, reliez les débuts de phrases avec les bonnes fins correspondantes.

a Quand on fait un film. . .
b Si on a quelque chose à dire. . .
c Le metteur en scène. . .
d Pour certains cinéastes comme Truffaut. . .
e Pendant son adolescence. . .
f Selon Truffaut, les hommes politiques. . .
g Ayant éliminé les sujets de film qu'il n'aime pas. . .

i . . .Truffaut s'est réfugié dans le cinéma.
ii . . .il vaut mieux choisir le journalisme.
iii . . .il reste, chez Truffaut, les femmes et les enfants.
iv . . .on agit d'une façon intellectuelle, artistique et émotionnelle.
v . . .faire un film satisfait leur côté maternel.
vi . . .recrée le monde à sa façon.
vii . . .sont moins importants que les grands comédiens.

2. Donnez les raisons pour lesquelles Truffaut évite certains sujets de film.

par exemple: les histoires de gangsters – parce qu'il n'aime pas les gangsters

a les pures comédies
b les nageurs, les skieurs et les danseurs
c les purs drames
d les policiers et les hommes politiques
e les bateaux et les chevaux
f les gens en uniforme

Imaginez. . .

3. Imaginez un interview avec Truffaut. Voici ses réponses – à vous d'imaginer les questions.

a C'est un acte intellectuel, artistique et émotionnel.
b Oui, mais il en dit beaucoup moins qu'un article de journal.
c Comme un enfant devant son jeu de construction.
d Pour éprouver les émotions de la maternité.
e Les grands comédiens comme Chaplin, bien sûr!
f Parce que je ne sais pas skier!
g «Les femmes et les enfants d'abord!»

Sujets de rédaction/coursework

1. Imaginez et écrivez un interview avec François Truffaut.

Pour vous aider:
- Dans cette rédaction c'est vous qui choisissez les questions. Donc il faut chercher dans les thèmes les plus importants de son œuvre et les plus grandes influences dans sa vie. Vous pouvez considérer:
  - le côté «autobiographie» dans *Les 400 coups*.
  - L'amour
    - mère/fils dans *Les 400 coups*
    - homme/femme dans *Le Dernier métro* et *La Femme d'à côté*
    - triangulaire dans *Jules et Jim*
  - l'enfance dans *Les 400 coups, L'Enfant sauvage* et *L'Argent de poche*
  - les femmes – dans ses films et dans sa vie personnelle
  - l'influence de Hitchcock et de Renoir
- Vous pouvez également choisir un seul thème – tout dépend de la longueur de votre rédaction.

2. *Le Dernier métro* – portrait de la vie quotidienne sous l'Occupation. Discutez.

Pour vous aider:
- Truffaut a toujours considéré cette période comme fascinante – une période qu'il a vécue lui-même. Concentrez-vous sur la gamme de détails fournis dans le film et qui le rendent si réaliste. Considérez:
  - ce que signifie le titre du film
  - le rationnement de l'alimentation (particulièrement dur pour les Français!)
  - le manque d'essence
  - la présence des Allemands et les rapports Français–Allemands
  - le marché noir
  - la musique
  - la question juive.

3. Examinez l'enfance dans les films de Truffaut.

Pour vous aider:
- Ici vous avez trois films importants.
- *Les 400 coups* – une enfance malheureuse et la critique de sa propre famille et d'un système scolaire qui n'a pas su améliorer les choses.
- *L'Enfant sauvage* – l'élaboration d'un autre système pour éduquer les enfants.
- *L'Argent de poche* – une enfance heureuse à l'exception d'un garçon maltraité qui fournit à Truffaut l'occasion d'élaborer ses propres idées sur les droits des enfants.

4. Le cinéaste, éternel enfant, a le pouvoir de construire «un monde accordé à ses désirs». Discutez en vous référant au cinéma de François Truffaut.

Pour vous aider:
- D'abord vous devez réfléchir sur ce que vous désignerez «le monde de Truffaut». Comment voit-il certaines choses? Qu'est-ce qui est important chez lui? Que voudrait-il changer?
- En fait, tout ce qui est touché par un cinéaste subit son influence et on peut être d'accord ou pas avec sa vision. Aime-t-on un cinéaste parce que ses désirs s'accordent aux nôtres?

5. Les femmes dans les films de Truffaut

Pour vous aider:
- Quelle est l'attitude de Truffaut envers les femmes? Est-il bienveillant? Porte-t-il un regard masculin?
- Quelles sont les différentes sortes de femmes exposées dans ses films?
- Truffaut accepte-t-il les stéréotypes ou bien choisit-il de les critiquer?

6. Truffaut et «La Nouvelle vague»

Pour vous aider:
- D'abord vous devez penser à l'historique de la Nouvelle vague. Pourquoi a-t-elle existé?
- Qui en a fait partie? Quel a été le rôle de Truffaut là-dedans?
- Quand et comment est-il passé du rôle de critique au rôle de cinéaste? Pourquoi a-t-il décidé de faire des films?
- En quoi les films de la Nouvelle vague différaient-ils du cinéma de l'époque?
- La nouvelle technologie, qu'est-ce qu'elle a changé?

Sources supplémentaires

Le Cinéma Français de la Libération à la Nouvelle Vague, A. Bazin
(Paris, Cahiers du Cinéma, 1983)

Les films de ma vie, F. Truffaut
(Paris, Flammarion, 1975)

Aline Desjardins s'entretient avec François Truffaut, A. Desjardins
(Montréal, Les Entreprises Radio-Canada, Editions Ramsay, 1993)

Truffaut par Truffaut, D. Rabourdin
(Paris, Chêne, 1985)

François Truffaut, H. Merrick
(*J'ai lu* No. 17, Editions Paris, 1989)

«Le Cinéma de François Truffaut», University of Wolverhampton
Série/Révision François Truffaut (collection sous la direction de Robert Ingram, août 1995)

British Film Institute National Library
21 Stephen Street, London W1P 2LN, Great Britain
Tel. 0044 171 255 1444 URL: www.bfi.org.uk

Bibliothèque du film
100 rue du Faubourg Saint-Antoine, 75012 Paris France
Tél. 0033 1 53 02 22 40 URL: www.bifi.fr

Filmographie

1954: ***Une Visite*** (court métrage)
1958: ***Les Mistons*** (court métrage)
Histoire d'eau (court métrage, co-réalisé avec Jean-Luc Godard)
1959: ***Les 400 coups***
1960: ***Tirez sur le pianiste***
1962: ***Jules et Jim***
Antoine et Colette (sketch du film ***l'Amour à vingt ans***)
1964: ***La Peau douce***
1966: ***Fahrenheit 451***
1968: ***La Mariée était en noir***
Baisers volés
1969: ***La Sirène du Mississipi***
1970: ***L'Enfant sauvage***
Domicile conjugal
1971: ***Les Deux Anglaises et le continent***
1972: ***Une Belle fille comme moi***
1973: ***La Nuit américaine***
1975: ***L'Histoire d'Adèle H***
1976: ***L'Argent de poche***
1977: ***L'Homme qui aimait les femmes***
1978: ***La Chambre verte***
1979: ***L'Amour en fuite***
1980: ***Le Dernier métro***
1981: ***La Femme d'à côté***
1983: ***Vivement dimanche!***

Dossier: La vie urbaine, la vie rurale

Table des matières

Texte A: «Fermes d'enfance»

Tiré de *Pays comtois,* mai–juin 1997

Fermes d'enfance

Plus que dans tout autre métier, les agriculteurs font très tôt participer leurs enfants aux tâches professionnelles. Nécessité fait loi: tradition, besoin de garder un œil sur des enfants en bas âge lorsque les deux parents sont mobilisés, participation aux besognes régulières, vacances consacrées aux récoltes. Se souvient-on, d'ailleurs, que la répartition actuelle des vacances scolaires date d'une époque où une France essentiellement paysanne avait besoin d'une multitude de bras pour effectuer les tâches estivales?
La mécanisation n'a pas totalement supprimé cette tendance, mais elle l'a réduite. Si l'on considère que, pour effectuer la fenaison dans les meilleurs délais, deux ou trois tracteurs doivent fonctionner simultanément, tout en tenant compte de deux rendez-vous quotidiens à la salle de traite, force est de constater que la main-d'œuvre familiale est toujours la bienvenue. A 8 ou 10 ans, un enfant d'agriculteur n'ignore déjà plus rien du labeur quotidien de ses parents et, à 15 ans, il est capable de prendre part complètement à la vie de l'exploitation, quand bien même ses aspirations professionnelles seraient dirigées ailleurs. Moyen efficace de transmettre le sens de la terre et apprentissage éprouvé s'il en est. Mais pour quelle agriculture et pour combien de générations encore?

Les mots et les expressions

1. Cherchez les mots et les expressions synonymes de ceux ci-dessous.

a les travaux
b jeune
c d'été
d entreprendre
e par jour
f l'aide
g la ferme
h une méthode

2. Faites une liste de tous les mots et termes ayant un rapport avec l'agriculture, et donnez-en la traduction en anglais.

Les faits et les opinions

3. Regardez-bien le texte, puis copiez et complétez les phrases suivantes.

a Les agriculteurs font très tôt participer leurs enfants au travail parce que. . .
b Les vacances scolaires sont réparties de la même façon qu'. . .
c Cette tendance a été. . .
d En été, pour que le travail soit efficace, on. . .
e A l'âge de quinze ans, un enfant d'agriculteur peut faire. . .

4. Copiez et complétez la grille suivante avec le nom ou le verbe correct.

Nom	**Verbe**
(a)	participer
répartition	**(b)**
mécanisation	**(c)**
(d)	réduire
(e)	fonctionner
traite	**(f)**
exploitation	**(g)**
aspiration	**(h)**
(i)	diriger
(j)	apprendre

Texte B1: «La vie rurale»

LA VIE RURALE

L'agriculture française dans la Communauté Européenne

A la création de la Communauté Européenne, la France avait des avantages certains qu'elle a su maintenir longtemps: une surface cultivable importante et des sols riches et fertiles. Grâce à cette position prépondérante, les lois qui régissent l'agriculture européenne reflètent bien celles qui régissent l'agriculture française. Cependant, au fil des années, surtout depuis les années 80, cette position avantageuse s'est érodée: les autres pays de la Communauté produisent de plus en plus (d'où les surplus comme les montagnes de beurre ou les lacs de vins). De plus, la France est maintenant déficitaire. Autrement dit elle contribue plus d'argent à la Communauté Européenne qu'elle n'en reçoit.

L'agriculture française: la situation actuelle

Comme dans la plupart des autres pays, malgré un rendement nettement supérieur à ce qu'il était, économiquement parlant, l'agriculture française pèse de moins en moins lourd dans le budget français.

Dans un tel contexte, il faut souligner les tendances suivantes:

- contrairement au passé, c'est un secteur à haute productivité;
- de plus en plus d'exploitations agricoles ont des difficultés à «joindre les deux bouts»;
- depuis la deuxième guerre mondiale le nombre d'agriculteurs correspond à moins d'un quart de ce qu'il était (1,5 million par rapport à 7 millions);
- La P.A.C. (Politique Agricole Commune) ne convient pas à l'agriculture française et lui cause beaucoup de difficultés;
- L'écart entre les agriculteurs aisés et les agriculteurs «pauvres» se creuse (autant qu'entre un cadre supérieur et un ouvrier payé le minimum légal). Autrement dit un agriculteur céréalier normand gagne souvent au moins cinq fois plus qu'un agriculteur polyculteur du sud de la France.

La production végétale contre la production animale

La tendance la plus marquée concerne la production animale qui, aujourd'hui atteint plus de 60% alors qu'il y a cinquante ans elle faisait moins de 45%. N'oublions pas que la production animale n'inclut pas seulement la viande comme le bœuf, le poulet ou le porc, mais aussi le lait qui est d'ailleurs la part la plus importante. Cette tendance s'est bien sûr développée au détriment de la production végétale qui, elle, est passée de 56% à moins de 40% à l'heure actuelle. Cette production n'inclut pas seulement les fruits et les légumes, mais aussi le vin et, en tête avec 17% du total, les céréales.

Les faits et les opinions

1. Vrai ou faux? Corrigez les phrases fausses.

- **a** La Communauté Européenne a adopté en grande partie les règlements déjà existants dans l'agriculture française.
- **b** Il existe aujourd'hui un surplus de production agricole en Europe.
- **c** La France reçoit plus de revenu de la communauté qu'elle ne lui apporte.
- **d** L'agriculture française est moins efficace aujourd'hui qu'il y a cinquante ans.
- **e** Le nombre de personnes travaillant dans l'agriculture a diminué de presque 80%.
- **f** Il y a plus d'égalité de revenu dans l'agriculture que dans le commerce.
- **g** Aujourd'hui, la production végétale est plus importante que la production animale.

2. Que représentent les suivants?

e.g. 300 milliards de francs: la valeur de la production agricole par an.

- **a** 7 millions en 1940
- **b** la P.A.C.
- **c** 17% de la production végétale
- **d** l'équivalent du salaire d'un cadre supérieur
- **e** aujourd'hui elle dépasse 60%

3. Traduisez en français.

For geological, climatic and historical reasons, France has always had a very varied agriculture. However, despite high productivity, which has doubled since 1978, the economic importance of agriculture has diminished. The Common Agricultural Policy has also made certain problems more difficult. The gap between a big cereal producer and a small farmer is now so big that we can talk of there being two types of farmer in France.

Texte B2: «La vie urbaine»

LA VIE URBAINE

Depuis un demi siècle, la vie urbaine a pris la place de la vie rurale pour beaucoup de français: le taux d'urbanisation atteint maintenant 75% bien qu'il y ait peu de très grandes villes. Les exceptions comptent évidemment Paris (9 millions d'habitants) et des cités comme Lyon ou Marseille (1 million d'habitants). En grande majorité, les «grandes villes» françaises ont entre 150 000 et 600 000 habitants.

Les villes françaises

Depuis le Moyen Age, elles ont beaucoup changé. A l'époque (aux XIIe et XIIIe siècles) elles se distinguaient par leurs rues étroites et tortueuses. Par contraste, au XIXe siècle, les rues sont devenues grandes, droites et bordées de grands immeubles avec de nombreux étages. Quant aux XVIIe et XVIIIe siècles, ils furent marqués par des places gigantesques comme la place de la Concorde à Paris ou celle des Quinconces à Bordeaux. En ce qui concerne le XXe siècle, il se distingue par l'apparition des banlieues, à la périphérie des villes elle-mêmes.

Les rues françaises

Les rues des villes françaises sont infiniment variées: elles sont de plus en plus piétonnes et, selon la taille des villes, sont des lieux de rencontre ou, au contraire, des endroits où on passe inaperçu. Par exemple, dans les petites villes du Midi de la France, c'est l'endroit où on se promène, où on parle, où on mange, où on boit, bref où on vit. Quant à leurs noms, comme partout ailleurs, ils sont le reflet de l'histoire, des personnages célèbres (par exemple hommes politiques, soldats ou artistes) ou simplement des métiers qu'on y exerçait dans le temps.

Une institution bien française: les cafés

Les cafés sont un lieu de rencontre pour tous les français, quel que soit leur âge ou leur classe sociale – les jeunes y sont attirés par les «juke box» et les «flippers» alors que les moins jeunes y vont pour jouer au billard ou aux cartes… et évidemment pour discuter politique. Souvent, les cafés sont des «cafés tabacs», reconnus par leur «carotte», une enseigne orange à l'extérieur qui indique qu'on peut y acheter du tabac ou des cigarettes.

L'urbanisme français et ses tendances

De par le passé, les architectes urbanistes ont eu du mal à combiner les besoins collectifs tout en satisfaisant les goûts (et besoins) individuels. Depuis les années 20 et 30, de nombreux architectes se sont préoccupés de ce problème ainsi que de l'hygiène, du confort et du «look». Le plus connu d'entre eux est Le Corbusier qui préconisa les immeubles à de nombreux étages (les gratte-ciel) pour laisser de la place aux espaces verts. Il y a maintenant une nouvelle école architecturale française qui, tout en combinant les besoins pour de grands ensembles et des lotissements de maisons individuelles, arrive à construire des habitations fonctionnelles mais aussi individuelles et bon marché.

Pour terminer, il faut citer des bâtiments moderne connus dans le monde entier comme le Centre Pompidou, la Pyramide du Louvres ou l'Arche de la Défense.

Les faits et les opinions

4. Combien d'habitants?
a Paris **b** Lyon **c** Une capitale régionale

5. Ça date de quel siècle?
a les grands immeubles
b les rues tortueuses
c les places monumentales
d les banlieues

6. La rue et les cafés. Copiez et complétez les phrases.
a Dans les rues du Midi, on. . .
b Dans les rues des grandes villes, on. . .
c Les personnages célèbres, les artistes et les dates glorieuses figurent. . .
d Le café est un lieu de rencontre pour les gens. . .
e Attaché au café il y a souvent. . .
f Les jeunes sont attirés par. . .

7. Répondez en français aux questions suivantes.
a Qu'est-ce qui a caractérisé l'architecture de Le Corbusier?
b Pourquoi les grands ensembles n'étaient-ils pas toujours réussis?
c Quelle a été la préoccupation de la nouvelle école architecturale française?
d Comment ses architectes ont-ils eu du succès?

Texte C: «Quelques journées ordinaires de délinquance en banlieue»

Tiré de *France-Soir*, 5 novembre 1997

Les mots et les expressions

1. Crimes et châtiments – après avoir lu l'article en face, reliez les mots/termes suivants avec leurs définitions.

a un rodéo
b un viol
c un meurtre
d une rixe
e le saccage
f interpellé
g un mineur
h un délinquant
i le tribunal
j une échauffourée
k sinistré
l placer en garde à vue
m poignarder
n la police judiciaire
o entrer par effraction
p sous l'emprise de l'alcool

i garder pendant une période limitée toute personne suspecte
ii arrêté par la police
iii rapport sexuel imposé par la force
iv querelle violente accompagnée de menaces
v bagarre importante et confuse
vi forcer une serrure pour commettre un méfait
vii qui constate les infractions à la loi pénale
viii la mise en désordre
ix vol de voitures pour ensuite les utiliser illégalement
x juridiction d'un magistrat
xi action de tuer volontairement
xii frapper avec un couteau court et pointu
xiii ayant subi de grandes pertes matérielles
xiv ayant moins de dix-huit ans
xv ivre
xvi qui a commis un ou plusieurs délits

Les faits et les opinions

2. Copiez et complétez les grilles suivantes. Puis écrivez les détails sur les exemples de délinquance en banlieue.

	Hôpital de Clichy
Age et profession de la victime	
Description des malfaiteurs	
Détails de l'attaque	
Résultat de l'attaque	

	Centre commercial du Palais
Jour/heure	
Détails du crime	
Description des malfaiteurs	

	La Courneuve
Description de la victime	
Le crime	
Description du criminel	

3. Vous êtes témoin de ce qui s'est passé dimanche soir au centre commercial du Palais à Créteil. Racontez ce que vous avez vu. Ecrivez 100–150 mots.

Quelques journées ordinaires de délinquance en banlieue

Montreuil, La Courneuve, Créteil. Rodéo, viol et meurtre, rixe entre bandes et saccage: 8 mineurs déférés à la justice

Quatre mineurs placés en garde à vue à Créteil (Val-de-Marne) pour leur participation au saccage d'un centre commercial. Trois mineurs volant une voiture, puis renversant un policier à Montreuil (Seine-Saint-Denis). Un mineur interpellé après le meurtre et le viol d'une nonagénaire à La Courneuve, dans ce même département. En quelques jours, de très jeunes délinquants ont écrit une nouvelle page ordinaire de la banlieue.

Créteil hier, centre commercial du Palais. Ironie du sort, juste à quelques mètres de la Cité judiciaire, l'odeur de brûlé rappelle encore qu'ici même, vers 19 heures dimanche dernier, une soixantaine de jeunes ont saccagé les lieux, brûlant, cassant des vitrines.

Sur la devanture de l'agence du Crédit Lyonnais – ce qu'il en reste – derrière des panneaux de bois, un papier scotché prévient: « Par suite d'un acte de vandalisme, notre agence est fermée pour une durée indéterminée. » Au vu du spectacle, on n'en doutait pas. « Combien de temps? », interroge une vieille dame, à travers la porte entrebâillée. « Au moins une semaine, on n'a plus d'électricité », lance une guichetière.

Base-ball

Dimanche soir, un concert de rap a lieu à la salle Duhamel. Une soixantaine de jeunes de Créteil y débarque. On vient apparemment régler quelques comptes avec « ceux » de Maisons-Alfort. L'échauffourée vire en équipée dévastatrice dans la ville, évitant les policiers présents. Ils déboulent dans le centre commercial du Palais. Certains, armés de battes de base-ball.

Une horde qui casse des vitrines de la Poste, du bar-tabac, qui saccage la pizzéria. Fin du fin: une Ford Fiesta volée est incendiée, puis lancée contre le Crédit Lyonnais. Des vitres explosent, des enseignes fondent. La bande s'évanouit, les pompiers éteignent l'incendie vers 22 h 30.

Dans la galerie encore humide, hier, des barrières métalliques et un gros projecteur marquent les lieux. Des badauds grognent. « Des vitrines cassées, c'est pas nouveau, mais là, c'est la première fois », précise, songeur, un homme. Manipulant des câbles électriques, un ouvrier bourru, monté sur son escabeau, la joue fataliste: « Il faut bien que jeunesse se passe... »

« Voyez par vous-même », invite le libraire, voisin de la banque sinistrée, en passant un doigt sur sa caisse: « C'est de la suie. La fumée est rentrée jusque dans l'arrière-boutique. Je ferme à midi pour nettoyer. » Il précise que la pharmacie en face, un laboratoire d'analyse médicale, des « boutiques de fringues » ont aussi eu leur part de saccage.

Au bar-tabac, la patronne compte encore ses vitrines cassées: dix. « Certaines avaient triple épaisseur... » Et de s'interroger. Sur l'assurance: « J'attends encore le remboursement d'il y a un an. Déjà des vitrines cassées ». Sur la présence policière ensuite: « J'ai été chercher une fois les policiers du dépôt au tribunal. Ils m'ont dit qu'ils n'avaient pas le droit de sortir. Ils peuvent juste appeler leurs collègues. Autrefois, on avait un poste au bout du centre commercial. Mais il a fermé. » Un projet de rénovation du centre prévoirait un gardiennage.

Depuis lundi, quatre mineurs et onze jeunes majeurs ont été placés en garde à vue à Créteil, avant que certains ne soient déférés devant la justice.

Vigile

Violence quotidienne, encore. Comme cette enquête en cours à la 1è division de police judiciaire parisienne, ouverte après qu'un vigile du métro a été poignardé – il s'en sortira – par un adolescent le week-end dernier. Le miraculé et ses collègues voulaient déloger une bande qui squattait depuis plusieurs jours à la station Guy Mocquet, gênant les usagers.

Autre hôpital, hier matin. Les médecins de Clichy (Hauts-de-Seine) ont dû se rendre à l'évidence: le jeune policier de 27 ans, admis chez eux vendredi dernier grièvement blessé aux jambes, ne remarchera pas. Le fonctionnaire de Montreuil (Seine-Saint-Denis) avait été renversé par trois mineurs, alors qu'il tentait d'intercepter leur voiture volée. Le trio était alors poursuivi par une brigade anti-criminalité. Le conducteur, 17 ans, déjà connu des policiers, était ivre. Ses comparses: 15 ans chacun. Ils ont été déférés à la justice.

Tout comme un jeune de 16 ans, interpellé le week-end dernier à La Courneuve (Seine-Saint-Denis), présenté à la justice depuis. Il est soupçonné du meurtre et du viol d'une nonagénaire, handicapée, chez elle. Cet ami de l'infirmière qui soignait la vieille dame est entré par effraction dans le pavillon de sa victime, dont les cris ont alerté une cousine-voisine. Qui a donné l'alerte. Arrêté à la sortie du pavillon, l'adolescent a déclaré avoir agi sous l'emprise de l'alcool.

Texte D: *La Montagne*

Tiré de *Jean Ferrat – Master série,* Jean Ferrat, 1998

Les mots et les expressions

1. Après avoir lu ou écouté la chanson, faites deux listes: une où vous mettez tout ce qui appartient à la campagne et une autre où vous mettez tout ce qui appartient à la ville.

La Montagne
Ils quittent un à un le pays
Pour s'en aller gagner leur vie
Loin de la terre où ils sont nés
Depuis longtemps ils en rêvaient
De la ville et ses secrets
Du formica et du ciné
Les vieux ça n'était pas original
Quand ils s'essuyaient machinal
D'un revers de manche les lèvres
Mais ils savaient tous à propos
Tuer la caille ou le perdreau
Et manger la tomme de chèvre

Pourtant que la montagne est belle
Comment peut-on s'imaginer
En voyant un vol d'hirondelles
Que l'automne vient d'arriver

Avec leurs mains dessus leurs têtes
Ils avaient monté des murettes
Jusqu'au sommet de la colline
Qu'importe les jours les années
Ils avaient tous l'âme bien née
Noueuse comme un pied de vigne
Les vignes elles courent dans la forêt
Le vin ne sera plus tiré
C'était une horrible piquette
Mais il faisait des centenaires
À ne plus que savoir en faire,
S'il ne vous tournait pas la tête

Pourtant que la montagne est belle. . .

Deux chèvres et puis quelques moutons
Une année bonne et l'autre non
Et sans vacances et sans sorties
Les filles veulent aller au bal
Il n'y a rien de plus normal
Que de vouloir vivre sa vie
Leur vie, ils seront flics ou fonctionnaires
De quoi attendre sans s'en faire
Que l'heure de la retraite sonne
Il faut savoir ce que l'on aime
Et rentrer dans son H.L.M.
Manger du poulet aux hormones.

Pourtant que la montagne est belle. . .

Les faits et les opinions

2. Répondez en français aux questions suivantes.
- **a** Comment voit-il les gens de la montagne?
- **b** Quelle est l'attitude des jeunes gens de la montagne, selon la chanson?
- **c** Comment est-ce que Ferrat nous montre qu'il préfère la vie de la campagne à celle de la ville?

Sujets de rédaction/coursework

1. L'exode rural en France

Pour vous aider:
Considérez:
- l'abandon de la campagne depuis un siècle (travail dans l'industrie/mécanisation de l'agriculture/disparition des micro-exploitations/accroissement de la taille des exploitations)
- l'attraction du «moderne» représenté par la vie en ville
- la déception des conditions de vie en ville (manque de maisons individuelles/bruit/pollution/délinquance).
- le développement des banlieues (entre ville et campagne)
- le ralentissement de la croissance urbaine (préférences pour les petites villes et les communes rurales)
- la situation actuelle (l'effet de la crise économique sur la mobilité des travailleurs)

2. Les villes nouvelles

Pour vous aider:
Considérez:
- la crise du logement en 1945 (les destructions de la guerre, le baby-boom, la stagnation de la construction entre les deux guerres)
- la construction rapide (besoin de logements pas chers/densité)
- le manque de vrai plan (cages à lapin/pas de commerces/transport impossible)
- 1965: le Schéma Directeur d'Aménagement et d'Urbanisme de la Région Parisienne (création des villes nouvelles)
- la nouvelle façon de construire (objectifs culturels et sociaux)
- les problèmes (transport/travail)
- le pour et le contre.

3. La France – première puissance agricole du Marché commun

Pour vous aider:
Considérez:
- la grande diversité caractérisée par des tendances géologiques, historiques et climatiques
- l'histoire du développement agricole (disparition des micro-exploitations/mécanisation)
- la production végétale (céréales/légumes et fruits/vigne)
- la production animale (viande/produits laitiers)
- les avantages du Marché commun agricole
- les problèmes créés par la Politique agricole commune.

4. La France et la délinquance en banlieue

Pour vous aider:
Considérez:
- un mal de la société en général
- les conditions en banlieue
- l'immigration/le racisme
- le chômage
- le mécontentement général
- la drogue.

5. «En France, on a tous un côté paysan» Discutez.

Pour vous aider:
Considérez:
- un pays profondément rural
- l'histoire de la migration vers la ville
- le citadin recherche ses racines
- le goût du terroir
- l'importance de la cuisine campagnarde et provinciale
- le rêve de la maison individuelle avec jardin.

Sources supplémentaires

Films à regarder

- *La Gloire de mon père* (Yves Robert, 1990)
- *Le Château de ma mère* (Yves Robert, 1990)
- *Le grand Meaulnes* (Jean-Gabriel Albicocco, 1967)
- *Jean de Florette* (Claude Berri, 1986)
- *Manon des sources* (Claude Berri, 1987)
- *La Haine* (Mathieu Kassovitz, 1995)
- *Les Amants du pont neuf* (Leos Carax, 1991)
- *Le Cheval d'Orgueil* (Claude Chabrol, 1980)
- *Le Hussard sur le toit,* (Jean-Paul Rappenau, 1995)
- *César* (Marcel Pagnol, 1936)
- *La Femme du boulanger* (Marcel Pagnol, 1938)
- *Regain* (Marcel Pagnol, 1937)

Chansons à écouter

- *Dans Mon H.L.M.*, Renaud (*Best of Renaud 1975–85*, 1996)
- *Les Touristes Partis,* Jean Ferrat
- *Comme un Arbre dans la Ville,* Maxime Leforestier (*M. Leforestier,* Polydor, 1972)
- *Là-bas,* Jean-Jacques Goldman (*Entre gris clair et gris foncé,* 1989)
- *L'Arbre Va Tomber,* Francis Cabrel (*Samedi soir sur la terre,* 1994)
- *Banlieue Rouge,* Renaud (*Milieu of Renaud,* 1989)
- *Le Bistrot,* Georges Brassens (*La pornographie,* 1989)

Le nouveau Guide France, Guy Michaud et Alain Kimmel
(Hachette Livre, 1996)

***Francoscopie* 1997** (Librairie Larousse, 1996)

L'Urbanisme
(*Les Essentiels Milan,* Editions Milan, 1995)

Sites Internet: Bibliographies CDU; Paris
www. equipement.gouv.fr/dau/cdu/accueil/bibliogr.htm
www.paris-france.org/parisweb/IDC/sommaire.idc

Thérèse Desqueyroux, La Place, Germinal, La Gloire de mon père et ***Manon des sources***
Photocopiable text dossiers in *Thèmes et Textes* Tutor's Book

Dossier: Une région française – La Provence

Table des matières

Texte préliminaire

LA RÉGION PROVENCE – CÔTE D'AZUR

Cette région est formé de 5 départements français:

- Le Vaucluse (numéro 84)
- Les Alpes de Haute Provence (numéro 04)
- Les Alpes Maritimes (numéro 06)
- Les Var (numéro 83)
- Les Bouches du Rhône (numéro 13)

C'est peut-être la région la plus connue à l'étranger car elle comprend des villes mythiques comme Marseille, Nice, Cannes, Saint Tropez et Monaco. De plus, si on s'éloigne de la côte, on découvre la Provence et la Haute Provance qui, dans la senteur de la lavande, nous fait penser à des auteurs comme Marcel Pagnol.

La capitale de cette région est Marseille (1 120 000 habitants) et économiquement parlant, elle se distingue par le tourisme, la production de fruits et légumes et Marseille, en tant que port (le plus important de France). La deuxiéme ville est Nice qui projète un image beaucoup plus sophistiqué avec son tourisme, son carnaval et les villes qui sont à sa périphérie comme Cannes, Antibes ou Monaco (Monte Carlo).

Finalement, en plus de cette Côte d'Azur et de ces montagnes provençales, il y a la Camargue, cette superbe plaine marécageuse située dans l'embouchure en delta du Rhône. Bien que la culture du riz l'ait transformée, la Camargue, c'est toujours les chevaux et les taureaux sauvages, ainsi qu'une réserve zoologique de 18 000 hectares peuplée, entre autres, de magnifiques flamants roses.

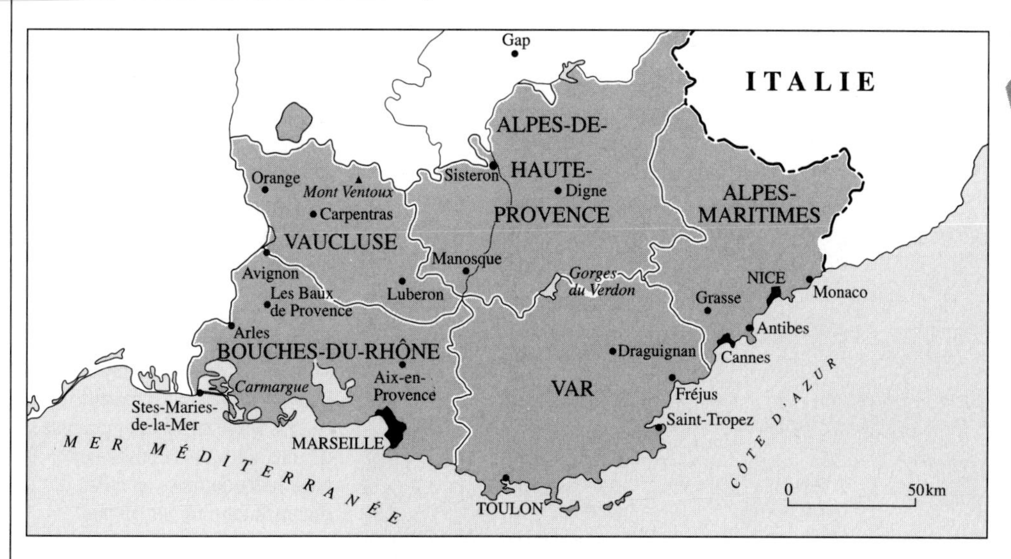

Texte A: «Un Noël provençal»

Tiré de *Cuisines du bout du monde,* mai–juin 1997

Un Noël provençal

A Nouvè'me tei parens, à Pasquo'me toun cura.
A Noël avec tes parents, à Pâques avec ton curé.
Proverbe provençal.

Lou soupa

La tradition de Noël demeure en Provence une des plus vivaces. Elle est marquée par le rituel du "gros souper", souper maigre qui prélude à la messe de minuit. Il est d'usage, en ce jour de fraternité, de laisser de côté les disputes et les rancunes...
Tout commence par le *cachio-fio*, c'est-à-dire l'allumage de la bûche en bois d'arbre fruitier. L'ancêtre donne la main au benjamin, et procède à la bénédiction : *"Que Nostre Segne nous alègre! S'un autre an sian pas mai, moun Dieu fugen pas men!", "Que Notre Seigneur nous emplisse d'allégresse! Et si une autre année, nous ne sommes pas plus, mon Dieu, ne soyons pas moins!"* Ce disant, il arrose à trois reprises la bûche de vin cuit. Puis tous deux font trois fois le tour de la maison, avant de mettre le bois dans la cheminée.

Repas maigre

Tout maigre qu'il soit, le repas de Noël doit être copieux, en signe d'heureux présage. Jadis, on préparait sept plats, symbole des sept plaies du Christ. Rappel de la cène, treize pains – parfois sept – devront accompagner le repas, dont un plus gros que les autres. Sur la côte notamment, on s'attable devant un mets de poisson. Souvent préparée en brandade avec de l'aïoli, ou en *raïto*, la morue sera aussi frite avec ou sans épinards, ou encore cuite avec des poireaux. Le mulet cuit au four avec des olives et le loup grillé au fenouil ont eux aussi leur place à table. On peut préférer d'autres poissons; les Camarguais opteront, eux, pour l'anguille. Les moules gratinées aux épinards viennent compléter le menu.

Légumes en fête

En salade, gratiné – région du Brusc – ou en sauce blanche, le chou-fleur demeure incontournable. Côté légumes, surtout présents dans la Provence intérieure et les montagnes, on trouve aussi un gratin de cardons, des cardes bouillies en sauce blanche ou piquante avec des tomates, ou encore des cardons, artichaut et céleri en bagna cauda, que l'on trempe dans un réchaud d'huile d'olive mêlée d'ail et de purée d'anchois. Les côtes du céleri seront servies en gratin et en anchoïade, et son cœur en vinaigrette avec des anchois. Citons encore le gratin d'épinards à Apt, la tarte aux épinards, le gratin de courge, la soupe de légumes et l'omelette d'artichaut...

Repas sauveur

Bouillon d'ail parfumé à la sauge, enrichi d'un œuf poché, l'*aigo boulido* figure parfois en entrée, versé sur du pain arrosé d'huile. Certains le réservent pour le lendemain, en guise de reconstituant: ne dit-on pas qu'*"il sauve la vie"*? A Digne, la spécialité de Noël demeure les crouiches, des pâtes en lanières. Bouillis avec des herbes, les petits gris s'offrent en rémoulade ou en *sucarella*, le haut de la coquille coupé afin de pouvoir être sucés. Le repas sera arrosé d'un bon vin vieux de la vigne familiale, ou de vin clairet.

Treize à table

Dès le commencement du repas, les treize desserts seront alignés sur la nappe blanche, près du vin, en signe d'abondance. Reine des desserts, la pompe à l'huile symbolise le Christ. Appelée parfois fougasse à l'huile ou "gibassié", cette large galette briochée, ajourée ou non, se parfume de fleur d'oranger, de citron et de safran; on la pique aussi parfois de dragées. Elle sera rompue puis trempée dans le vin en guise de communion. Elle voisine avec des fruits secs: dattes, figues, noix, noisettes... , et frais: oranges, mandarines, raisin frais, pommes, poires, prunes et melon d'hiver... La confiture de pastèque et la pâte de coing répondent aussi présent. Pour l'occasion, on aura également confectionné des mendiants. Au nombre de quatre, ces derniers doivent leur nom à la similitude de couleur entre les fruits secs qui les garnissent: figues, raisins, amandes, noisettes et noix, avec les habits des moines des ordres mendiants. Sans oublier bien sûr les incontournables fruits confits, nougats et calissons...

Un parfum de miel...

Spécialité d'Apt depuis le XIVème siècle, les fruits confits exigent des mois de préparation. Les fruits frais sont blanchis, puis confits: ils subissent jusqu'à neuf bains de sucre, à de fortes températures, pour éliminer l'eau et la remplacer par du sucre, sans changer d'aspect. Après quoi, ils macèrent deux à sept mois dans un sirop épais, puis sont recouverts d'un glaçage.
Quant au nougat, il serait né à Marseille au XVIème siècle. Il était alors agrémenté de noix. Cette confiserie à base de blancs d'œufs, de miel de lavande et de sucre devient au XVIIème siècle la spécialité d'Allauch, où on l'agrémente d'amandes, pistaches et fruits confits. A base de sucre caramélisé, le nougat noir aux amandes se parfume d'eau de fleur d'oranger et de zeste d'orange.

... et de fleur d'oranger

Quant au calisson d'Aix, on dit qu'il fut offert en cadeau au roi René, à l'occasion de son mariage – il existait alors un *calisone* en Italie. Après l'introduction de l'amande en Provence, quelques siècles plus tard, il prend sa forme actuelle. Celle-ci serait une réplique des mandories des abbayes cisterciennes. D'autres affirment qu'elle représente les chaloupes des pestiférés mis en quarantaine pendant la grande peste, auxquels on offrit ces douceurs. Au XVIIème siècle, on distribuait des calissons dans les cérémonies religieuses pour rappeler cet événement. Depuis, le succès de ce mélange moelleux d'amandes, de melon, d'orange ou d'abricots confits, de miel, de confiture et d'eau de fleur d'oranger, recouvert d'un glaçage plus ou moins épais et d'une feuille d'hostie, ne s'est jamais démenti.

Le choix du dessert

En Haute-Provence et à Sainte-Cécile, les tartes sont à l'honneur. Simple fond de pâte à pain, ou pâte brisée, la panade se garnit de pommes, poires, noix et miel, et se parfume avec quelques gouttes d'eau de fleur d'oranger. La tarte aux épinards ou aux blettes n'est pas la moins prisée. En Provence des montagnes, on préfère les oreillettes; sur la côte, les gâteaux secs aux pignons ont la faveur des gourmands. Ces douceurs s'accompagnent de vin d'orange ou d'un sublime vin cuit, de Palette ou fait maison: celui-ci doit son parfum au coing macéré que l'on plonge parfois dans le moût chauffé lors de son élaboration. Délicate attention: la coutume veut que l'on ne débarrasse pas les miettes des desserts, afin d'en régaler les anges!

De sacrés délices!

L'Epiphanie sera marquée par la dégustation du gâteau des rois, une couronne briochée garnie de fruits confits, dans laquelle on aura caché une fève. La pompe à l'huile lui ravit parfois la vedette. Si les navettes sont de mise à la Chandeleur, on aime aussi se délecter de craquantes oreillettes, des carrés de pâte frits parfumés d'écorce d'orange et d'eau de fleur d'oranger. Quant à l'agneau piqué à l'ail ou nappé d'une crème d'ail, il reste de rigueur à Pâques, même si le cabri rôti nature ou à l'ail le relaie parfois. Pour les Cendres et le vendredi saint, le grand aïoli met en scène légumes et morue bouillis accompagnés de la fameuse sauce. Pour la fête des Rameaux, on avait coutume d'accrocher des friandises et des fruits confits sur des rameaux d'olivier. On les remettait aux enfants avant de se rendre à la messe, afin qu'ils soient bénis pendant l'office. Mais gare à celui que l'on prenait à picorer les branches avant la fin de la messe: il devait pour une heure se contenter de les contempler! Les fêtes seront aussi l'occasion de déguster des fougassettes, des petites fougasses en pâte briochée.

Les mots et les expressions

1. Cherchez les équivalents dans le texte.

a il est normal
b trois fois
c même s'il n'est pas fait d'aliments riches
d dans le temps
e un plat
f on ne peut pas l'ignorer
g on le sert quelquefois en début de repas
h elle est à côté de
i sont là aussi
j demandent une préparation très longue
k il a ses origines
l lorsqu'il s'est marié
m est très appréciée
n au moment de sa fabrication

2. Dans ce texte vous avez beaucoup de mots «gastronomiques». Pouvez-vous les mettre dans les catégories suivantes avec leur traduction anglaise?

a les poissons
b les vins
c les légumes
d les fines herbes
e les parfums
f les fruits secs et les noix
g les fruits frais

Les faits et les opinions

3. Reliez ces plats provençaux avec leurs définitions.

a l'aïoli
b le loup grillé au fenouil
c cœur de céleri en vinaigrette
d la fougasse à l'huile
e la pâte de coing
f le nougat
g les calissons d'Aix
h les moules gratinées
i les fruits confits

i confiserie à base de blancs d'œuf, de sucre, de miel et de fruits secs
ii poisson cuit avec un légume au goût d'anis
iii un pain parfumé, fabriqué avec ou sans trous
iv bonbons en forme de petit bateaux
v mayonnaise parfumée à l'aïl
vi la partie centrale de ce légume est servie avec de l'huile et du vinaigre
vii fruits de mer cuits avec de la chapelure, du beurre, de l'aïl et un légume vert
viii des fruits qui ont baigné plusieurs fois dans du sucre bouillant
ix confiserie à base d'un fruit dur, amer et jaune

4. Répondez en français aux questions suivantes.

a Qui sont l'ancêtre et le benjamin?
b A quel moment met-on la bûche dans la cheminée?
c Qu'est-ce qu'on met sur la table en souvenir de Jésus-Christ et de ses apôtres?
d Pourquoi appelle-t-on ainsi les mendiants?
e Où peut-on trouver les meilleurs fruits confits?
f Où et quand a-t-on inventé le nougat?
g Combien de desserts trouve-t-on sur la table de Noël, en Provence?
h Pourquoi laisse-t-on les miettes sur la table en fin de repas?

Imaginez. . .

5. Imaginez que vous avez passé un Noël traditionnel chez des amis en Provence. Décrivez ce qui s'est passé.

Texte B: «Un beau jour je serai torero»

Tiré de *Pays de Provence*, octobre 1997

« Un beau jour je serai torero »

Sans des centres de formation comme celui d'Arles, où la muleta remplace le cartable, la tauromachie serait condamnée à disparaître, affirment les aficionados.

Dans cette école pas comme les autres, ni cours d'histoire-géo ni fastidieuses formules d'algèbre ou de trigonométrie. Les pieds bien « tanqués » dans le sable d'une petite arène de bois toute simple, le fondateur de l'école taurine d'Arles, Paquito Leal, est entouré de trois jeunes espoirs de la tauromachie française: El Lobo, Morenito d'Arles et Diamante Negro. Ses « élèves » passent des heures à apprendre le maniement de la cape, exécutant mille véroniques ou *chicuelinas* avec l'espoir du geste enfin parfait. L'école taurine d'Arles, créée en 1988, est l'une des trois écoles françaises, avec Nîmes et Béziers, à préparer au métier de torero. Une école modeste, qui fonctionne avec un très petit budget – 200 000 francs par an – au regard notamment des grandes écoles espagnoles comme celle de Madrid, qui est bien sûr une véritable institution. Paquito, ancien torero devenu banderillero, confie qu'aujourd'hui 90 % des toreros sont issus d'écoles taurines: Joselito, Jesulin de Ubrique, Stéphane Méca, pour ne citer qu'eux... « *Quand j'étais torero, et que je m'entraînais, l'hiver, dans les arènes d'Arles avec des collègues, il y avait toujours des gamins qui nous regardaient faire et qui nous abordaient en disant:* "Nous aussi, nous voulons être des toreros!" *Créer pour ces jeunes une école taurine était vraiment nécessaire, ne serait-ce que pour leur éviter cette vie de saltimbanques de la tauromachie livrés à eux-mêmes comme l'avaient été les générations précédents, ces* maletillas *qui, sur les routes d'Espagne et de France, couraient de* capeas *en* novilladas *réservées aux toreros non confirmés. De nos jours, sans de tels centres de formation, la tauromachie serait condamnée à disparaître avant l'an 2000.* »

Charly El Lobo confirme les dires de son « maître »: « *C'est à l'école que l'on apprend les bases de son métier. Or la tauromachie est bien un métier – c'est même le plus beau métier du monde.* »

Arborant un large sourire, Morenito d'Arles renchérit: « *La plupart d'entre nous viennent de quartiers pauvres. Non seulement l'école nous forme sur le plan professionnel mais elle prend aussi en charge tous les frais d'organisation, paie notre costume, organise les combats... Comment ferions-nous sans elle?* »

Les quinze élèves, garçons et filles âgés de 7 à 18 ans, se livrent deux fois par semaine dans les arènes de Fourques à ce que les initiés appellent la « tauromachie de salon ». Une tauromachie sans taureau qui, loin d'un divertissement anodin, est un véritable apprentissage du métier de torero.

Pour Diamante Negro, le déclic eut lieu dans les arènes d'Arles en 1991 au cours d'une *novillada*. « *Pendant une année, je n'ai pas cessé de rebattre les oreilles à mes parents de taureaux et de l'école taurine. Peut-être pensaient-ils qu'il ne s'agissait que d'un caprice de gamin? En tous cas, ils me laissaient dire... Je n'avais qu'un rêve: devenir torero, comme d'autres rêvent d'être un jour pompier, dompteur ou footballeur. Au bout d'un an, ils ont compris que c'était vraiment une passion pour moi, et ils ont accepté de m'inscrire à l'école taurine d'Arles.* » L'histoire de Morenito est un peu différente. La passion est née dans une cour d'école grâce à son copain Antoni Losada qui lui a fait découvrir et aimer les taureaux.

« TRÈS VITE, J'AI ÉTÉ TOUCHÉ PAR LE VIRUS. *À douze ans, quand tu débutes à l'école taurine, tu es vraiment considéré comme un petit homme qui doit savoir prendre de vraies responsabilités et effectuer des choix. Être seul devant un taureau et être jugé par un public, c'est du sérieux! Devant un taureau, on ne joue pas, le risque est bien réel, et on le sait.* » Et Diamante Negro de confirmer: « *À douze, quatorze ou seize ans, on est des hommes avec des corps d'enfants. La tauromachie, c'est avant tout passionnel – l'amour des taureaux, de l'art, du beau. Mais c'est aussi apprendre à respecter à la fois le public qui a payé pour te voir, et l'animal qui est en face de toi.* »

« *Enfants! Pas vraiment des enfants comme les autres justement,* s'exclame El Lobo. *Les jeunes de notre âge ne comprennent pas que nous ne soyons pas comme eux. On ne va pas "s'éclater" en boîte tous les samedis soir, on ne traîne pas dans les cafés. Nous, notre existence, c'est: tout pour le taureau!* »

Et Diamante Negro d'enfoncer le clou: « *Personne ne nous force à devenir torero. C'est notre choix. Alors, pour nous, il n'y a aucun sacrifice. Mon but, c'est de donner le meilleur de mon art, que les foules se lèvent, que les gens pleurent. Comme un ballet.* »

Plus terre à terre, Morenito pense qu'être torero c'est avant tout un métier où l'on ne fait pas de cadeau. « *C'est le public, le plus dur. Un jour, il peut te porter aux nues et le lendemain te descendre en flammes! C'est très aléatoire, la tauromachie... On n'est pas certain de réussir, jamais sûr de devenir une* figura, *même si on joue sa vie à chaque corrida. Une vie qui a tant et si peu d'importance à nos yeux...* »

Pour Paquito Leal, le bilan est positif. Malgré huit années de débrouille à jongler avec des bouts de ficelle. « *Pas ou très peu de moyens financiers mais les résultats sont très encourageants.* »

D'ailleurs, la nouvelle municipalité d'Arles vient tout de même d'allouer à l'école un local où sont assurés les cours théoriques. Deux heures par semaine, les élèves s'initient à l'espagnol, commentent ensemble des vidéos de grandes corridas et reçoivent des conseils pour préparer leurs prochaines *faenas*. Pour parachever son programme, l'école organise régulièrement des combats à Arles et dans d'autres villes taurines, où les élèves, sélectionnés selon leurs compétences, sont appelés à se produire avec de vrais taureaux devant un public averti et connaisseur. Des échanges ont également lieu avec des écoles étrangères comme celles de Séville et Murcie. Paquito milite en effet pour la reconnaissance de ces jeunes toreros arlésiens, qui ont déjà brillamment participé à toutes les *ferias* de France, ainsi qu'à de nombreuses corridas en Espagne.

Camargue tradition

« L'homme qui revêt l'habit de lumière doit avant tout se sentir toro » (Belmonte).

Les mots et les expressions

1. Reliez les mots suivants avec leurs définitions.

a la tauromachie
b une véronique
c un saltimbanque
d la formation
e les frais
f divertissement
g anodin
h effectuer
i le bilan
j la ficelle
k parachever

i procéder à la réalisation
ii le résultat, positif ou négatif
iii développement de réflexes adaptés à une tâche, de connaissances spécialisées
iv l'art de combattre les taureaux en s'efforçant de triompher de leur force brutale par l'adresse
v dépenses occasionnées par quelque chose
vi ce qui détourne de l'ennui ou des soucis
vii corde mince servant à lier des objets entre eux
viii personne qui fait des tours d'adresse sur les places publiques, dans les foires
ix passe au cours de laquelle le torero fait passer le taureau le long de son corps
x compléter une tâche de façon satisfaisante
xi qui ne présente aucun danger

2. Voici un résumé du premier paragraphe. Remplissez les blancs à l'aide des mots qui se trouvent ci-dessous.

L'école **(a)**......... d'Arles est une école pas comme les **(b)**......... . Le **(c)**......... de la cape remplace les **(d)**......... d'histoire-géo. Il y a trois de ces écoles en **(e)**......... à préparer au **(f)**......... de torero et elles sont très **(g)**......... par rapport aux écoles d' **(h)**......... . Selon Paquito, **(i)**......... torero, il y a toujours eu des **(j)**......... qui voulaient devenir toreros et l'école peut les **(k)**......... , ce qui leur évite une vie de **(l)**......... . Sans ces centres de **(m)**......... l'art du torero **(n)**......... avant l'an 2000.

cours métier Espagne saltimbanque gamins taurine France modestes autres formation ancien encadrer disparaîtrait maniement

3. Qui a dit quoi? A qui faut-il attribuer les affirmations suivantes? A Morenito, à Charly El Lobo, à Paquito, ou à Diamante? Attention! – ce ne sont pas leurs paroles exactes.

a Un torero respecte son public et aussi l'animal qui est devant lui.
b Le métier de torero est le plus beau métier du monde.
c J'ai embêté mes parents jusqu'à ce qu'ils cèdent.
d On ne joue pas devant un taureau.
e On n'est pas comme les autres de notre âge.
f On choisit ce métier – personne ne nous force.
g Sans l'école on ne pourrait jamais se payer le matériel nécessaire.
h Neuf toreros sur dix sortent des écoles taurines.

4. Répondez en français aux questions suivantes.

a De quel milieu la plupart des toreros viennent-ils?
b Pourquoi, à votre avis?
c La tauromachie, est-elle un sport? Justifiez votre opinion.
d Connaissez-vous d'autres sports où beaucoup des pratiquants viennent d'un milieu similaire?
e Peut-on justifier les sports sanguinaires?

Texte C: «Le grand marché d'été»

Tiré du roman *Regain* de Jean Giono

Malgré le mauvais an, le grand marché d'été a rempli la villotte. Il y a des hommes et des chars sur toutes les routes, des femmes avec des paquets, des enfants habillés de dimanche qui serrent dans leurs poings droits les dix sous pour le beignet frit. Ça vient de toutes les pentes des collines. Il y en a un gros tas qui marche sur la route d'Ongles, tous ensemble, les charrettes au pas et tout le monde dans la poussière; il y en a comme des graines sur les sentiers du côté de Laroche, des piétons avec le sac à l'épaule et la chèvre derrière; il y en a qui font la pause sous les peupliers du chemin de Simiane, juste dessous les murs, dans le son de toutes les cloches de midi. Il y en a qui sont arrêtés au carrefour du moulin; ceux de Laroche ont rencontré ceux du Buëch. Ils sont emmêlés comme un paquet de branches au milieu d'un ruisseau. Ils se sont regardés les uns les autres d'un regard court qui va droit des yeux aux sacs de blé. Ils se sont compris tout de suite.

« Ah ! qu'il est mauvais, cet an qu'on est à vivre! »

« Et que le grain est léger! » — « Et que peu il y en a! » « Oh oui! »

Les femmes songent que, là-haut sur la place, il y a des marchands de toile, de robes et de rubans, et qu'il va falloir passer devant tout ça étalé, et qu'il va falloir résister. D'ici, on sent déjà la friture des gaufres; on entend comme un suintement des orgues, des manèges de chevaux de bois; ça fait les figures longues, ces invitations de fête dans un bel air plein de soleil qui vous reproche le mauvais blé.

Dans le pré qui pend, à l'ombrage des pommiers, des gens de ferme se sont assis autour de leur déjeuner. D'ordinaire, on va à l'auberge manger la « daube ». Aujourd'hui, faut aller à l'économie.

Ça n'est pas que l'auberge chôme; oh ! non: à la longue table du milieu, il n'y a plus de place et déjà on a mis les guéridons sur les côtés, entre les fenêtres, et les deux filles sont rouges, à croire qu'elles ont des tomates mûres sous leurs cheveux, et elles courent de la cuisine à la salle sans arrêter, et la sauce brune coule le long de leurs bras. Ça n'est pas qu'on ait le temps de dire le chapelet à l'auberge, non, mais ceux qui sont là c'est surtout le courtier du bas pays, le pansu qui vient ici pour racler le pauvre monde parce qu'il sait mieux se servir de sa langue et qu'il veut acheter avec le moins de sous possible. Pas du beau monde. Sur la place, les colporteurs et les bazars ont monté des baraques de toile entre les tilleuls. Et c'est répandu à seaux sous les tentes: des chapeaux, des pantoufles, des souliers, des vestes, des gros pantalons de velours, des poupées pour les enfants, des colliers de corail pour les filles, des casseroles et des fait-tout pour les ménagères et des jouets et des pompons pour les tout-petits, et des sucettes pour les goulus du têté dont la maman ne peut pas se débarrasser. Et c'est bien pratique. Il y a des marchands à l'aune avec leur règle de bois un peu plus courte que mesure.

« Et je vous ferai bonne longueur; venez donc! »

Il y a les bonbonneries, et les marchands de sucrerie et de friture avec des gamins collés contre comme des mouches sur pot à miel; il y a celui qui vend des tisanes d'herbes et des petits livres où tout le mal du corps est expliqué et guéri, et il y a, près de la bascule à moutons, un manège de chevaux de bois bariolé et grondeur qui tourne dans les arbres comme un bourdon.

Et ça fait, dans la chaleur, du bruit et des cris à vous rendre sourds comme si on avait de l'eau dans les oreilles. Chez Agathange, on a laissé les portes du café ouvertes. Il en coule un ruisseau de fumée et de cris. Il y a là-dedans des gens qui ont dîné de saucisson et de vin blanc autour des tables de marbre et qui discutent maintenant en bousculant les verres vides du poing et de la voix. Agathange n'en peut plus. Il est sur ses pieds depuis ce matin. Pas une minute pour s'asseoir. Toujours en route de la cuisine au café et il faut passer entre les tables, entre les chaises. Voilà celui-là du fond qui veut du vermouth maintenant. Va falloir descendre à la cave. Il est en bras de chemise: une belle chemise à fleurs rouges. Il a le beau pantalon et pas de faux col. Le faux col en celluloïd est tout préparé sur la table de la cuisine à côté des tasses propres. Il y a aussi les deux boutons de fer et un nœud de cravate tout fait, bien noir, bien neuf, acheté de frais pour tout à l'heure.

Les mots et les expressions

1. Cherchez les équivalents dans le texte.

a dressed in their Sunday best
b at walking pace
c spread out
d merry-go-rounds
e in the shade of the apple trees
f not that the inn is idle!
g cooking pots for housewives
h like flies round a honey pot
i the weighing-scale for sheep
j in shirt sleeves

Les faits et les opinions

2. Faites une liste de tout ce qu'il y a à manger et à porter dans l'extrait et donnez-en la traduction en anglais.

3. Répondez en français aux questions suivantes.

a Qu'est-ce qui indique que l'année a été mauvaise?
b Comment sait-on que les femmes n'ont pas beaucoup d'argent?
c A quoi les visages des serveuses sont-ils comparés?
d Que font les gens qui ne peuvent pas se payer de repas à l'auberge?
e Le marchand de tissu, comment triche-t-il?
f Qu'est-ce qui fait le bonheur des enfants?
g Qu'est-ce qui indique que le patron du café a chaud?
h Comment est l'ambiance du marché?

4. Relevez les mots et les images qui indiquent que ce marché n'a pas lieu aujourd'hui, par exemple: la bascule à moutons.

Texte D: «Douce Provence»

Tiré de *Cuisines du bout du monde*, octobre 1997

Douce Provence

Des terres inondées de Camargue aux Alpes du Sud, la Provence déroule son bout de territoire, ceint par le Gard, l'Ardèche, la Drôme et les Hautes-Alpes, dont une petite langue de terre flirte avec l'Italie.

De ce côté-ci de la France, la terre est en bon voisinage avec la mer. Partout la côte offre un visage radieux. Les petits ports déclinent leur façades aux couleurs pastel. Entre Marseille et Cassis, dans les calanques, la nature a sculpté un relief fantaisiste qui va de ports en falaises dentelées piquées de pins parasols, petites criques et vallées, où s'abritent bateaux et baigneurs en quête de tranquillité. Au souffle de la brise côtière et au chant des cigales vient parfois se mêler le bourdonnement du mistral, charriant avec lui des parfums de là-haut...

... Des parfums de pierres chaudes et de garrigue, balayés par les vents des plateaux de l'arrière-pays, qui se frottent au massif calcaire des Alpilles, et partent se mêler en écho aux effluves iodés du littoral. Recouverts d'une maigre végétation, les rochers des Alpilles dévoilent, impudiques, leurs flancs décharnés d'une blancheur de lait. Ces sols arides, où seuls sont tolérés l'olivier et l'amandier, abritent les Baux et Saint-Rémy-de-Provence. Plus loin, près d'Apt, les terres ocres du Colorado provençal ont bu à la lumière du soir, qui les a parées d'une robe de feu. Puis c'est le relief accidenté du Luberon, qui s'étend jusqu'aux confins du pays. Arrivé là, le paysage change d'allure. Effarant et superbe, il dresse à l'horizon les blocs gonflés et polis par les vents des plateaux du Vaucluse et des Alpes-de-Haute-Provence. Chauve et désertique, le Mont Ventoux (1 912 m) semble au loin un autre univers. Au cœur de cette nature sauvageonne, desservie par les eaux capricieuses de la Durance, se blottissent des villages parfumés de lavanderaies. Manosque n'est pas loin, où plane encore l'âme de Giono... Chaque année, le chapelet sans fin des troupeaux de moutons quittera la garrigue de ces hauts plateaux rocailleux, pour transhumer vers les hauts pâturages des Alpes...

Environ 600 ans avant J.-C., les Phocéens fondèrent un comptoir maritime à Massilia, la future Marseille, ouvrant ainsi une ère d'échanges commerciaux intenses. Puis c'est au tour d'Antibes, de Nice et de Hyères. Plus tard, les Romains baptisent la région *Provincia Romana*, et fondent les cités d'Arles, Nîmes et Orange... La Provence subira l'invasion des Sarrasins, puis les comtes de Provence et les princes d'Anjou, dont le célèbre roi René et la reine Jeanne, viendront tour à tour y goûter à la douceur de vivre...

Riche de ce passé, la région essaime des petits bijoux romains, et de somptueux campaniles.

Marseille a beau prendre des airs de capitale, elle conserve cet accent teinté d'orientalisme, contracté au fil de ses échanges avec les peuples. Grecs, Libanais, Italiens, Espagnols, Maghrébins... se sont donnés rendez-vous à cette "porte de l'Orient", véritable creuset migratoire. De nos jours, la cité demeure la seconde ville française, et son port le troisième d'Europe. Sur fond de montagne Sainte-Victoire, elle dresse avec fierté sa basilique Notre-Dame de la Garde. A ses pieds demeurent encore quelques quartiers authentiques: le Vieux Port et sa Canebière, le quartier du Panier... A quelques encablures, les îles tentatrices du Frioul: If, Ratonneau et Pomègues, offrent une succession de criques et de calanques, qui permettront d'échapper au rythme trépidant de la métropole...

Ancienne capitale de la province romaine bâtie sur l'emplacement de sources thermales, Aix la bourgeoise coule des jours heureux à l'ombre des platanes de son superbe cours Mirabeau, où se succèdent cafés et librairies...

Son beffroi et sa cathédrale romane Saint-Sauveur dominent un dédale de petites rues aux façades en camaïeu de rose et d'orangé, qui abritent de nombreux hôtels particuliers. Rafraîchi par d'innombrables fontaines, il ouvre sur de larges places qui, aux premiers rayons de soleil, se transforment en terrasses.

Construit au XIIe siècle, le pont d'Avignon fut le premier pont sur le fleuve avant la mer, sur les routes d'Espagne et d'Italie. Au-delà des remparts, on découvre une fantaisie de tours et de palais, héritage des papes qui avaient naguère choisi la cité pour résidence. Dès lors, elle connut un essor économique et culturel sans précédent. Autour de son majestueux Palais des Papes, la ville charmante dévide ses ruelles tranquilles, et vit au rythme paisible de son Rhône... en attendant son prochain festival

Fascinante et mystérieuse, la Camargue est partie intégrante de la commune d'Arles, aux fameuses arènes. Délimitée par le delta du Rhône, elle allonge à l'infini sa plaine sablonneuse pourvue de marais, d'étangs et de rizières. La nature reprend ici ses droits, dans l'envol des flamants roses, et la course des chevaux et des taureaux. Seuls les cabanes de gardians et les camelles, terrils de sel des marais salants, arrêtent le regard. Chaque année, la région s'anime avec le grand rassemblement des Gitans venus de l'Europe entière aux Saintes-Maries-de-la-Mer, à l'occasion du pèlerinage des saintes Maries. Accompagnés d'Arlésiennes costumées, les gardians auront revêtu la tenue traditionnelle: large feutre, foulards éclatants et pantalon en peau de taupe!

... Rien à voir avec le luxe parfois tapageur de la Côte d'Azur, fleurie de jardins luxuriants et de palmiers, et enivrée du parfum des mimosas. Ici, hôtels et villas de rêve "avec-vue-sur-la-mer" se poussent du coude. Le charmant petit port de Saint-Tropez, Sainte-Maxime, Saint-Raphaël, Cannes et sa croisette... , drainent l'été venu des flots ininterrompus de touristes bon chic, bon genre. Face à Hyères, un peu en retrait, les îles sauvages de Port-Cros, Porquerolles et du Levant offrent un asile réparateur...

Ayant jadis appartenu à la Savoie et au Piémont, Nice revint à la France à la fin du XIXe siècle. Avec sa baie des anges et sa Promenade des Anglais – l'endroit était jadis occupé par des Britanniques – la ville est devenue la capitale de la Côte d'Azur. Chaque année, on se bouscule lors de son gigantesque carnaval de mardi gras.

Dans cette région des Alpes-Maritimes, le parc de Mercantour et la Vallée des Merveilles font souvent parler d'eux. La haute vallée frontalière sauvage et encaissée de la Roya, qui appartint jadis durant quelque temps à l'Italie, offre, quant à elle, des villages étagés dans la montagne, à l'attrait pittoresque.

Provence miniature

Résolument attachée à son folklore – et à sa langue, dont Frédéric Mistral fut un ardent défenseur –, la Provence perpétue la tradition des santons de la crèche, notamment à Marseille, Aubagne, Aix et Arles. Autrefois fabriqués en argile crue, ses petits personnages sont de nos jours en argile cuite, et ce depuis le XIXe siècle. Après avoir été moulés, ils sont soigneusement peints à la gouache. Certains seront dotés d'une armature métallique rembourrée, avant d'être habillés de pied en cap. De la belle ouvrage, qui donne peu à peu vie à tout un peuple provençal miniature: personnages religieux, bergers, artisans, villageois... tous dotés de leurs attributs: fougasse, paniers de poissons... Robes en tissu provençal, fichu en dentelles: rien n'est laissé au hasard. Une foire aux santons se tient à Marseille du mois de novembre à l'Epiphanie.

Les faits et les opinions

1. Vrai ou faux? Corrigez les phrases fausses.

- **a** La Camargue est une terre sèche.
- **b** La Provence est une région peu fertile.
- **c** La ville de Marseille date de l'époque romaine.
- **d** Marseille a gardé un côté oriental grâce à son contact avec les pays comme la Grèce, le Liban et ceux d'Afrique du Nord.
- **e** Le cours Mirabeau se trouve à Aix.
- **f** Avignon est connue pour ses arènes.
- **g** Les villas de la Côte d'Azur sont très proches les unes des autres.

2. Voici les titres des sept paragraphes de l'article. Pouvez-vous les mettre dans le bon ordre?

a Capitale provinciale
b Une terre sauvage
c Entre collines et Méditerranée
d Luxe et volupté
e Une vie de château
f Un paradis géologique
g Provincia Romana

3. Où peut-on trouver les curiosités suivantes? Reliez-les avec la ville/le lieu.

a les calanques
b les vents
c les villas «avec vue sur la mer»
d le Palais des Papes
e les arènes
f les flamants roses
g les troupeaux de moutons
h le grand rassemblement des Gitans
i les sources thermales

i Avignon
ii Les Saintes-Maries-de-la-Mer
iii Entre Marseille et Cassis
iv Aix
v Les hauts pâturages des Alpes
vi Les plateaux de l'arrière-pays
vii Arles
viii La Côte d'Azur
ix La Camargue

4. Répondez en français aux questions suivantes.

a Comment s'appellent les deux arbres fruitiers qui poussent sans difficulté dans le sol aride des Alpilles?
b Qui a fondé les villes d'Arles, Nîmes et Orange?
c Quel produit alimentaire cultive-t-on en Camargue?
d Quel écrivain français du vingtième siècle est natif de Manosque?
e Comment s'appelle le troisième port d'Europe?
f Quel effet l'arrivée des Papes a-t-elle eu sur la ville d'Avignon?
g Dans quelle ville trouve-t-on beaucoup de fontaines?
h A partir de quand Nice a-t-elle fait partie de la France métropolitaine?
i En quel mois le Carnaval de Nice a-t-il lieu?

5. «Provence miniature».
En vous aidant de la dernière section de l'article, traduisez ce qui suit en français.

'Santons' are part of Provençal folklore. In these southern towns, the little terracotta figures are seen around the crib at Christmas. They are carefully painted and then dressed from head to toe in Provençal fabric and lace. Some represent religious characters, others are dressed as shepherds, craftsmen or villagers but they are all equipped with their symbols – a little cross, a lamb or, perhaps, a loaf (a 'fougasse').

Sujets de rédaction/coursework

1. La Provence – terre des fêtes

Pour vous aider:

- Pour faire la fête, il faut du monde. Pourquoi la Provence attire-t-elle tant de gens? Climat/paysage/l'influence des écrivains, poètes, artistes, cinéma.
- La nature des fêtes – surtout rurale. Considérez le Français à la recherche de ses origines.
- Considérez l'importance des fêtes dans l'économie de la région – tourisme vert par rapport au tourisme traditionnel de la côte.
- L'importance culturelle des fêtes. Prenez quelques fêtes importantes et considérez leur impact.

2. Le tourisme vert en Provence

Pour vous aider:

- Le visage changeant du tourisme – moins de plage, plus de verdure.
- Le succès des Gîtes ruraux et les Hôtels en Plein Air (les campings!).
- L'importance du tourisme dans l'économie rurale.
- La richesse du folklore et les fêtes en Provence.
- Le climat et le paysage.

3. La Provence – pays des écrivains

Pour vous aider:

- La Provence est riche en sujets de roman – personnages (surtout les paysans)/paysage/coutumes/folklore, etc.
- Il existe surtout une culture rurale dans laquelle les gens se connaissent bien et les bruits courent vite.
- C'est un lieu de rêve pour les enfants, d'où le nombre de réminiscences d'enfance comme dans les livres de Pagnol.
- Plus récemment la Provence est devenue à la mode pour toutes sortes de gens qui cherchent un autre style de vie et qui veulent faire partager, à l'écrit, leurs expériences (Peter Mayle par exemple – *A Year in Provence*).
- Le côté romantique d'une vie au soleil.

4. Les villes de Provence

Pour vous aider:

Choisissez deux ou trois villes (plus si vous faites du «coursework»):

- Faites une petite histoire de chaque ville.
- Considérez son importance dans la culture/l'économie/le patrimoine du pays de Provence.
- Y a-t-il des personnages historiques/des écrivains/des poètes/des gastronomes/des peintres qui y sont nés ou y ont vécu?
- Y a-t-il des monuments à considérer?
- Considérez l'évolution de chaque ville dans le contexte provençal/français.
- N'oubliez pas de faire une évaluation/analyse de chaque ville dans un contexte valable. Il est très facile de faire une rédaction factuelle en choisissant ce genre de sujet, ce qui ne vous fera pas obtenir de bonne note.

Sources supplémentaires

Maison du Parc du Lubéron
1, place Jean-Jaurès
APT
France

L'école Taurine d'Arles
9, rue du Quatre-Septembre
13002 Arles
France

Comité départemental du tourisme du Vaucluse
La Balance
BP 147
84008 Avignon Cedex
France

Le Hussard sur le toit, Jean Giono
(Livre de poche, 1995)

Regain, Jean Giono
(Editions Gallimard, Folio Plus, 1995)

Sites Internet: La Provence; Avignon
www.laprovence.com/
www.avignon.com/

Films à regarder
- *La Gloire de mon père* (Yves Robert, 1990)
- *Le Château de ma mère* (Yves Robert, 1990)
- *Jean de Florette* (Claude Berri, 1986)
- *Manon des sources* (Claude Berri, 1987)
- *Le Hussard sur le Toit* (Jean-Paul Rappeneau, 1995)

La Gloire de mon père* et *Manon des sources
Photocopiable text dossiers in *Thèmes et Textes* Tutor's Book

Dossier: Un pays francophone – La Belgique

Table des matières

Texte préliminaire

- Extrait: «Belgique: un résumé» (*A la découverte de l'Europe*, La Commission européenne, 1996)

Texte A

- Extrait: «Quelles sont les cinq premières choses qui vous viennent à l'esprit lorsque vous pensez à la Belgique?» (*A la découverte de l'Europe*, La Commission européenne, 1996)

Texte B

- Extrait d'une brochure: «Bruxelles, ma découverte» (L'Office de Tourisme et d'Information de Bruxelles)

Texte C

- Extrait d'une brochure: «Un jeu de tradition» (*Guide de la Belgique*)

Texte D

- Extrait d'une brochure: «Waterloo» (Le Syndicat d'Initiative Régional du Champ de Bataille de Waterloo)

Texte E

- Chanson: *Le Plat Pays* de Jacques Brel (De 24 Grootste Successen 1998, Polydor 837 292-2AAD)

Sujets de rédaction/coursework

Sources supplémentaires

Texte préliminaire

BELGIQUE:
un résumé

POPULATION
10 millions d'habitants
CAPITALE
Bruxelles

Le point culminant de la Belgique est le Signal de Botrange (694 m). L'Escaut et la Meuse sont les deux rivières principales.

GÉOGRAPHIE

Le royaume de Belgique s'étend au nord-ouest de l'Europe, bordé au nord par les Pays-Bas, à l'est par le Luxembourg et l'Allemagne, au sud par la France et à l'ouest par la mer du Nord. La Belgique a une superficie de 30 519 km^2. À l'intérieur des terres se trouvent les polders fertiles, la plaine sableuse des Flandres et les landes et les bois de la Campine. Entre ces plaines septentrionales, les Ardennes boisées et la Lorraine belge au Sud, s'étalent les plateaux alluviaux du centre.

POPULATION

La Belgique possède une population de 10 millions d'habitants et une densité moyenne de population de 328 habitants au km^2. Bien que cette densité soit l'une des plus élevées d'Europe, elle varie d'une région à l'autre; ainsi, alors qu'elle est en moyenne de 50 habitants par km^2 dans les forêts d'Ardennes, Bruxelles, la capitale, compte 10 % de la population totale. La majorité des 920 000 étrangers qui vivent en Belgique sont originaires d'autres pays de l'Union, 23 % d'entre eux étant Italiens.

La langue officielle en Flandre, la moitié nord du pays, est le néerlandais. La langue officielle des Wallons, qui habitent au sud, est le français. À Bruxelles, le français et le néerlandais bénéficient du même statut, bien que l'on note une majorité de francophones. L'allemand est parlé par une petite minorité dans l'est des provinces de Liège et du Luxembourg. Ces trois langues sont officielles en Belgique. Environ 57 % de la population parlent néerlandais et 42 % sont francophones.

ÉCONOMIE

Le secteur de la transformation des métaux est hautement développé en Belgique et compte pour 30 % de l'emploi industriel. Les industries chimique et électronique ont également une place importante. Les industries traditionnelles, telles que le textile en Flandre et le verre en Wallonie, ont été rationalisées et modernisées. Leurs origines remontent aux drapiers médiévaux et aux souffleurs de verre vénitiens. L'un des produits alimentaires les plus célèbres exportés par la Belgique est le chocolat. Les exportations de chocolat apportent une contribution notable à l'excédent de la balance commerciale du pays.

CONSTITUTION ET GOUVERNEMENT

Le royaume de Belgique est une monarchie constitutionnelle. C'est un État fédéral constitué de régions et de communes. Au niveau fédéral, le pouvoir législatif est exercé conjointement par le roi, la Chambre des représentants et le Sénat. En vertu des amendements constitutionnels apportés en 1993, le nombre des représentants a été réduit à 150 et celui des sénateurs à 71 (les sénateurs étant élus au suffrage direct ou désignés par les conseils des communes ou par cooptation). Les sénateurs et les représentants n'ont plus le droit de cumuler leur mandat avec l'appartenance à un conseil régional ou communal. Le pouvoir exécutif est assigné au roi et à ses ministres. Le roi a le pouvoir de dissoudre le parlement fédéral. Le Parlement peut obliger le gouvernement fédéral à démissionner si la Chambre des représentants en décide par vote de non-confiance et désigne en même temps le nouveau Premier ministre devant être nommé par le roi.

Les trois régions (Bruxelles, Flandre et Wallonie) et les trois Communautés (de langue néerlandaise, française ou allemande) possèdent chacune une assemblée législative élue au suffrage direct, appelée conseil, et un organe exécutif. La Région flamande et la Communauté flamande ont fusionné pour former une entité unique, dotée d'un seul conseil et d'un seul organe exécutif.

Texte A: «Quelles sont les cinq premières choses qui vous viennent à l'esprit lorsque vous pensez à la Belgique?»

Tiré de *A la découverte de l'Europe*, la Commission européenne

« Quelles sont les cinq premières choses qui vous viennent à l'esprit lorsque vous pensez à la Belgique? »

➤ Bruxelles — Chocolats — Tintin — Bière — Capitale de l'Europe

Bruxelles On pense souvent à Bruxelles uniquement dans le contexte de l'UE (voir plus loin). Pourtant, cette ville regorge également de musées intéressants, de marchés où l'on trouve de tout, depuis les antiquités jusqu'aux épices du Moyen-Orient, et de restaurants dont certains ont la réputation d'être parmi les meilleurs au monde. La Grand-Place est l'une des plus belles places médiévales en Europe. Elle fut presque entièrement détruite en 1695 après le bombardement de Louis XIV, mais fut reconstruite dans les dix années qui suivirent. Nombre des anciennes maisons des corporations sont maintenant des cafés et des restaurants, et c'est dans l'un d'entre eux que Marx et Engels écrivirent le *Manifeste du parti communiste*, en 1847. Non loin de là se trouve le quartier du Sablon, qui regroupe des antiquaires et des cafés élégants. L'Atomium est également souvent associé à Bruxelles. Ces construction de 102 m de hauteur, composée de neuf atomes de métal représentant la molécule du carbone, tous reliés par des escaliers, fut construite en 1958 pour l'exposition universelle de Bruxelles. La vie nocturne est [illegible] à Bruxelles; cependant, les meilleurs endroits, les plus «branchés», sont souvent bien cachés et leur adresse ne se transmet que de bouche à oreille.

Chocolats C'est généralement au conquistador espagnol Hernando Cortes que l'on attribue l'introduction du chocolat en Europe. Toutefois, les historiens ne peuvent se mettre d'accord sur l'identité du créateur des chocolats fourrés qui ont fait la célébrité de la Belgique. Beaucoup pensent qu'il s'agit du Belge Jean Neuhaus. Neuhaus commença à expérimenter différentes recettes dans la pharmacie familiale où son père prescrivait le chocolat à titre de médicament. Aujourd'hui, Neuhaus est l'un des chocolatiers légendaires en Belgique, et le site de l'ancien magasin est encore utilisé par l'entreprise à Bruxelles. On attribue également à Neuhaus l'invention de la boîte en carton, ou *ballotin*, dans laquelle les chocolats sont généralement emballés. Le chocolat est l'un des principaux produits alimentaires exportés par la Belgique, et plus de 80 % de ces exportations se font à destination de pays au sein de l'Union européenne.

Tintin La Belgique est le pays du monde où l'on trouve le plus grand nombre de dessinateurs au km². La bande dessinée est considérée comme une forme d'art et elle est lue par un public de tous âges et de toutes classes sociales. Elle est devenue partie intégrante du patrimoine culturel de la Belgique. Un très beau bâtiment Art nouveau abrite le musée de la bande dessinée et les magasins de bandes dessinées abondent en Belgique. Hergé, le créateur du légendaire personnage de bande dessinée qu'est Tintin, est lui-même célèbre dans le monde entier. Les aventures du jeune reporter et de son chien ont été traduites dans quarante-cinq langues et 172 millions d'albums de Tintin ont été vendus à ce jour.

Bière On évalue à plus de 450 le nombre de différents types de bière belge. Il ne s'agit que d'une vague estimation: en effet, la tradition veut en Belgique que l'on crée une nouvelle bière ou un brassage spécial pour les grandes occasions. Les bières de Noël en sont un bon exemple, et des bières sont souvent créées pour les festivités données à l'occasion d'un mariage ou d'une inauguration. Cette tradition remonte aux années 1900, quand il existait plus de brasseries en Belgique que de villages. Il était d'ailleurs fréquent que le brasseur local soit également maire. On peut citer la Blanche, la Gueuze et la Kriek comme exemples des différentes variétés de bières qui existent aujourd'hui.

Capitale de l'Europe C'est à Bruxelles que se trouvent les bureaux de la Commission européenne, du Parlement et du Conseil de ministres. Outre les 16 000 personnes qu'elle emploie, la Commission a attiré de très nombreux traducteurs, membres de groupes de pression, imprimeurs, juristes et conseillers qui vivent et travaillent pour cette raison en Belgique. Il a été dit que, pour deux emplois «européens» créés, il en résulte un emploi belge. Certains promoteurs estiment qu'il serait nécessaire de créer 2 à 3 millions de mètres carrés de bureaux. L'OTAN* et l'Union de l'Europe occidentale sont également basées à Bruxelles, de même que de nombreuses sociétés multinationales, et la ville elle-même compte plus de correspondants de presse (environ 800) que toute autre ville au monde, y compris Washington DC.

* L'OTAN = 'NATO'

Bruxelles

Les mots et les expressions

1. Cherchez l'équivalent dans le texte.
- **a** amongst the best in the world
- **b** in the following ten years
- **c** not far from there
- **d** the most trendy
- **e** by word of mouth

2. Trois verbes – construire/reconstruire/détruire. Trouvez:
- **a** la traduction en anglais des trois verbes
- **b** leurs trois participes passés
- **c** les trois substantifs dérivés des trois verbes et leurs traductions en anglais

Maintenant traduisez:

i the town was destroyed during the war
ii the area was rebuilt in the 50s
iii the house and gardens were built in 1900

Les faits et les opinions

3. Répondez en français aux questions suivantes.
a La Grand-Place date de quelle époque?
b Quelle est la forme de l'Atomium?
c Dans quelle partie de la ville trouve-t-on les antiquaires?
d Qu'est-ce qui, à Bruxelles, se transmet de bouche à oreille?

Chocolats

4. Vrai ou faux? Corrigez les phrases fausses.
a C'est un espagnol qui a introduit le chocolat en Europe.
b Le père du créateur des chocolats belges était médecin.
c Le chocolat ne se mangeait pas pour le plaisir.
d Neuhaus est un des plus célèbres chocolatiers belges.
e Il y a différentes façons d'emballer les chocolats belges.
f La plus grande partie de l'exportation du chocolat est destinée aux pays en dehors de l'Europe.

Tintin

5. Répondez en français aux questions suivantes.
a Comment considère-t-on la bande dessinée en Belgique?
b Quelle est la preuve de sa popularité?
c Qui est Tintin?
d Comment s'appelle son créateur?
e Que signifient ces deux chiffres?
- 45
- 172,000,000

Bière

6. En vous aidant du texte, copiez et complétez les phrases suivantes.
a Pour Noël et d'autres fêtes on. . .
b C'est en 1900 que. . .
c A cette époque, les villages. . .
d Le brasseur local était. . .
e Aujourd'hui, on estime qu'il y a. . .

Capitale de l'Europe

7. Traduisez en français ce petit résumé.

Brussels is often considered the capital of Europe. Amongst those who find work with the Commission are translators, pressure groups, printers and councillors who also live in Belgium. A Belgian job is therefore created for every two European jobs. Other major organisations are also based in Brussels, such as NATO, and the city has more newspaper reporters than any other city in the world.

Texte B: «Bruxelles, ma découverte»

Tiré d'une brochure de l'Office de Tourisme et d'Information de Bruxelles

Bruxelles, ma découverte

LES PIERRES, LES GENS, LA BIERE, ET QUELQUE CHOSE DANS L'AIR

Rêve poétique qui nous attire et nous attache, Bruxelles est un être vivant, un personnage multiple, une ville de rencontres et de cultures – deux principales et combien de dizaines d'autres – une ville qui vous habite autant que vous l'habitez.

Vrai, que cette cité a du charme! Comment ne pas en tomber littéralement amoureux? De terrasse en bistrot, que d'attraits! Qui a en lui de la joie de vivre aimera Bruxelles: du Sablon à la Grand-Place, des églises baroques cachées dans de vieux quartiers, de l'immense Palais de Justice au pied de cette fameuse molécule de fer agrandie 165 milliards de fois culminant à 102 mètres qu'on nomme l'Atomium, Bruxelles n'est qu'accueil, gentillesse et... surprises!

«Le plus beau décor de théâtre du monde», a dit Jean Cocteau de la Grand-Place. Elle est évidemment plus et autre chose que cela. Cet ensemble architectural unique a été élevé sur les ruines laissées par le bombardement de la ville en 1695, funeste événement dont l'Hôtel de Ville, majestueux bâtiment gothique, est le seul rescapé.

Mystères de la Grand-Place... S'y laissent discerner symboles alchimiques et signes maçonniques, paon, cygne, phénix, chauve-souris, compas. Nous ne saurons jamais tout et c'est bien ainsi. Et si vous avez la chance, début juillet, de suivre comme moi le cortège de l'Ommegang, vous quitterez Bruxelles les yeux pleins de couleurs.

Non loin, à l'angle de la Rue du Chêne et de la Rue de l'Etuve, allons saluer le petit bonhomme, le bon petit génie: Mannekin Pis, symbole multiséculaire d'une cité frondeuse, facétieuse et qui est l'objet de l'affection des Bruxellois ainsi que de la curiosité des touristes...

On ne présente plus Tintin et Milou, Blake et Mortimer, ni Lucky Luke, ni les Schtroumpfs. Non content de multiplier chaque année manifestations, expositions, parcours et découvertes, le Neuvième Art – celui d'Hergé, d'Edgard P. Jacobs ou, aujourd'hui, de François Schuiten, est entré, Rue des Sables, dans la maison dont il ne pouvait que rêver: les anciens Magasins Waucquez, conçus et bâtis par Victor Horta, maître de l'Art Nouveau. Vous y saluerez la fusée d'«Objectif Lune», et n'échapperez pas au redoutable contre-ut de la Castafiore. Le Centre Belge de la Bande Dessinée, un palais Art Nouveau pour un nouvel art, c'est du sur-mesure!

Trêve de pérégrinations, n'est-il pas déjà temps de vous annoncer que Bruxelles est l'une des villes au monde où l'on mange le mieux?

Manger à Bruxelles! Quelle table de cette ville ne mérite qu'on s'y pose? Au terme d'une belle promenade d'automne ou d'hiver, «américain-frites» et croquettes de crevettes grises, lapin à la gueuze et carbonades, «stoemp» et «waterzooi» sauront nous réconforter le corps et l'âme!

Si le chocolat et les pralines ne nous ont pas trop longtemps retenus, trouverez-vous encore avec moi le temps de consacrer quelques dévotions à l'une et l'autre parmi la belle centaine et plus de bières belges que l'on vous proposera? Poussez donc la porte d'un estaminet célèbre ou anonyme de la Capitale. Commandez une gueuze, un lambic, une kriek (à la cerise), ou un faro, et fermez les yeux. C'est Bruxelles, vous y êtes, et vous êtes aussi un peu au paradis.

Les faits et les opinions

1. Voici les principaux «monuments» de la ville de Bruxelles, suivis de quelques phrases qui les décrivent. Pouvez-vous relier les monuments avec leurs descriptions? Attention! – certains monuments sont décrits plus d'une fois.

a l'Atomium
b la Grand-Place
c le Manneken Pis
d les anciens magasins Waucquez
e le Palais de Justice
f l'Hôtel de Ville
g le Centre Belge de la Bande Dessinée
h les estaminets de la Capitale

i leur architecte fut un renommé de l'Art Nouveau
ii objet d'affection des Bruxellois
iii d'une architecture unique
iv curiosité touristique
v 102 mètres de haut
vi un immense bâtiment
vii décorée de symboles alchimiques et de signes maçonniques
viii situé dans un palais de l'Art Nouveau
ix le plus beau décor de théâtre du monde
x le bon petit génie
xi seul survivant de la destruction de 1695
xii pour la dégustation de plus d'une centaine de bières belges

2. Qui est-ce qui visite Bruxelles? Finissez les phrases pour faire le portrait des gens qui se donnent rendez-vous dans cette ville magnifique.

Bruxelles est une ville de rêve pour ceux qui. . .

par exemple: . . .sont amateurs de. . . bière.
. . .aiment. . .
. . .s'intéressent à. . .
. . .adorent. . .
. . .veulent découvrir. . .

Et vous pouvez en inventer d'autres!

3. Répondez en français aux questions suivantes.
a Qui sont Tintin, Milou, Lucky Luke et les Schtroumpfs?
b Pourquoi a-t-on reconstruit la Grand-Place?
c Quelle est la signification du paon, du phénix et du compas?
d Qu'est-ce qu'une kriek?
e Quel grand écrivain français a été impressionné par la Grand-Place?

Texte C: «Un jeu de tradition»

Tiré d'une brochure *Guide de la Belgique*

INFORMATION

Un jeu de tradition

Il existe, en Belgique, un sport qui ne se pratique nulle part ailleurs. On l'appelle "Jeu de Balle" ou "balle-pelote". Il s'agit d'un sport estival de caractère méridional qui n'est pas sans rappeler la célèbre "pelote basque". En fait, le jeu de balle est l'héritier direct du jeu de paume médiéval dont est également issu... le tennis. Ce n'est pas pour rien qu'on y compte les points de la même manière: 15, 30, 40 et... jeu!

Les points communs avec le tennis sont d'ailleurs nombreux. Le service est appelé "livrée" et le retour de service: "rechas". Et chaque équipe (cinq joueurs) frappe la balle (d'un poids de 50 grammes pour un diamètre de 6cm) à son tour d'un camp à l'autre. L'un des deux camps épouse les formes d'un trapèze où est tracé la zone de service appellée "tamis"; l'autre est un long rectangle. Aux extrémités du jeu (le "ballodrome") qui accuse 72 mètres de longueur s'érigent de grandes perches entres lesquelles on peut frapper la balle, comme au rugby. La balle est propulsée à main nue ou, le plus souvent, à l'aide d'un gant de cuir renforcé par une plaque synthétique... Très populaire dans le Brabant wallon, dans la région de Namur, la province du Hainaut et dans la partie de la région flamande qui s'étend de Grammont à Termonde, en passant par Ninove et Alost, le jeu de balle est, en revanche, totalement méconnu à Liège, à Anvers, et dans la province du Luxembourg...

Jadis très présent à Bruxelles, le jeu de balle en a été progressivement chassé par l'aménagement des places publiques en parkings, durant les années cinquante. Un grand tournoi regroupant les quatre meilleures équipes du pays est organisé chaque année, vers la mi-juillet, sur les pavés magiques de la Grand-Place.

La saison, qui s'étend d'avril à septembre, connaît son point culminant au mois d'août, à l'occasion de la finale du championnat qui attire plusieurs milliers de spectateurs. Les rencontres de jeu de balle débutent généralement à 15h et durent entre deux et quatre heures, avec un repos de vingt minutes. La victoire revient à l'équipe qui remporte quinze jeux. Autour des ballodromes, il est de tradition que l'on déguste volontiers l'une des nombreuses bières dont la Belgique peut s'enorgueillir. Mais qu'on se rassure: il n'existe pas de "hooligans" au jeu de balle. Un peu comme si le temps s'y était arrêté. La curiosité vaut, assurément le détour.

Les mots et les expressions

1. Cherchez les équivalents dans le texte.

a nowhere else
b a summer sport
c pertaining to/of/from the south
d bare-handed
e by way of
f unknown
g a big tournament
h round about mid-July
i reaches its peak
j but rest assured

Les faits et les opinions

2. Vrai ou faux? Corrigez les phrases fausses.

a Le Jeu de Balle a les mêmes origines que le tennis.
b La finale du championnat se joue sur la Grand-Place.
c Les rencontres se jouent surtout le matin.
d Le jeu est connu seulement dans la partie wallonne (francophone) du pays.
e Les joueurs boivent de la bière pendant le match.
f Le Jeu de Balle se joue de moins en moins à Bruxelles.

3. Comment s'appellent les trois jeux qui ont certains points communs avec le Jeu de Balle?

4. Les aspects techniques du Jeu de Balle.
Remplissez les blancs.

a Pour jouer au Jeu de Balle il faut .... joueurs dans chaque ....
b Le terrain fait 72 mètres de ....
c Le Jeu de Balle a beaucoup de .... en .... avec le tennis.
d La balle .... 50 grammes avec un .... de 6 cm.
e A chaque .... du terrain il y a des .... entre lesquelles on doit .... la balle.
f On compte les .... de la même .... que pour le tennis.
g En général on frappe la balle à .... nue mais il existe des .... en cuir .... par une plaque ....

Imaginez...

5. Vous venez d'assister à une partie de jeu de balle. Décrivez ce que vous avez vu, y compris l'ambiance. Ecrivez 100–150 mots.

Texte D: «Waterloo»

Tiré d'une brochure du Syndicat d'Initiative Régional du Champ de Bataille de Waterloo

■ Atmosphère

Si la naissance officielle de la commune de Waterloo date de la fin du XVIIIe siècle, sa genèse remonte à l'ère mésolithique. Au Moyen Age, il s'agissait d'un paisible hameau, fréquenté par des forestiers, des marchands, des voyageurs, bien heureux de trouver une étape accueillante sur la route de la houille conduisant de Charleroi à Bruxelles. La bataille qui opposa, le 18 juin 1815, les troupes de Wellington et celles de Napoléon transforma son destin. Son aura devint universelle, jusqu'à donner naissance à plus de 80 autres Waterloo dans le monde. Waterloo offre aujourd'hui l'image d'une commune aux portes de Bruxelles, chargée d'histoire, vivante, dynamique et ouverte sur le monde.

■ Patrimoine

Une partie du champ de bataille de 1815 s'étend sur Waterloo. De nombreuses fermes, comme la Papelotte ou Mont-Saint-Jean, portent encore les traces du mémorable combat. Le musée de cires, en face du célèbre lion de Waterloo, présente plusieurs scènes historiques. Au centre de la localité, le Quartier Général de Wellington est devenu un musée fort prisé. Il abrite de splendides collections d'uniformes, d'armes, de gravures, d'objets personnels de combattants de Waterloo, mais aussi un musée communal dédié à l'histoire de la cité. Waterloo est, il est vrai, également célèbre dans le monde pour ses paveurs, voire ses anciennes savonneries. Dans le hameau du Chenois, un musée des vieux outils permet de se plonger dans l'univers des petits métiers.

■ Aux portes de la forêt de Soignes

Vue du ciel, Waterloo s'avère être un écrin de verdure assez exceptionnel. La cité est appréciée pour son caractère résidentiel, à mi-chemin entre la ville et la campagne. La forêt de Soignes est à deux pas. Au Chenois comme au centre, des parcs et des bois se prêtent à la promenade. De nombreux musiciens profitent, depuis des décennies, de cet environnement. C'est à l'orée de la forêt, entre le spectaculaire château d'Argenteuil et la propriété du Roi Léopold III, que la Reine Elisabeth a créé en 1937 la chapelle musicale portant son nom. Elle abrite, pour des sessions de trois ans, les meilleurs jeunes virtuoses.

■ Une ouverture sur le monde

Waterloo accueille, chaque année, plusieurs centaines de milliers de visiteurs. Elle offre une infrastructure hôtelière, gastronomique et de loisirs de première qualité. Mais également un large éventail de boutiques qui en font une cité riante et commerçante. La vie culturelle y est riche et variée. Ce cadre de vie a poussé de nombreuses multinationales à venir s'implanter dans le très aéré Waterloo Office Park. C'est dire si Waterloo, qui compte 28.000 habitants originaires de 90 pays différents est ouverte sur le monde. Le personnel du Syndicat d'Initiative s'exprime d'ailleurs en six langues et est disponible tous les jours de l'année. A proximité de la date anniversaire de la bataille de 1815, tous les cinq ans, Waterloo est cadre à de très importantes reconstitutions historiques.

■ LE CHAMP DE BATAILLE DE WATERLOO ■

18 juin 1815. Dans cette plaine allant de Braine-l'Alleud à Lasne et de Genappe à Waterloo, l'Empereur livra sa dernière grande bataille. Victor Hugo a magnifié ces terribles combats qui opposèrent l'Aigle au Duc de Fer anglais et au vieux Maréchal prussien et où périrent plusieurs milliers d'hommes. Quant aux Belges, ils se battirent dans les rangs de l'armée française et dans ceux des forces anglo-néerlandaises.

La fin de l'épopée napoléonienne dans la "morne plaine" changea le cours de l'Histoire et redessina la carte de l'Europe. C'est ainsi également qu'un modeste village en lisière de la forêt de Soignes acquit une notoriété internationale et que 54 villes dans le monde s'appellent aujourd'hui Waterloo. Le site classé de la bataille, probablement le plus célèbre au monde, ses musées, ses nombreux monuments commémoratifs, accueillent chaque année un demi-million de visiteurs de tous les continents.

Une grandiose reconstitution de la bataille est organisée tous les cinq ans sur les lieux mêmes de leur déroulement.

Les faits et les opinions

1. Atmosphère – Patrimoine – Aux portes de la forêt de Soignes
Reliez les moitiés de phrase correctement.

- **a** A ses origines, Waterloo. . .
- **b** Il accueillait ceux qui. . .
- **c** La bataille entre Wellington et Napoléon. . .
- **d** Aujourd'hui, il y a un nombre important de villes dans le monde qui. . .
- **e** La présente commune de Waterloo. . .
- **f** Certaines fermes sur le champ de bataille. . .
- **g** L'ancien Quartier Général de Wellington. . .
- **h** Vue d'en haut, on constate que Waterloo. . .

- **i** . . .fait partie de la banlieue de Bruxelles.
- **ii** . . .a été transformé en musée.
- **iii** . . .a changé son destin.
- **iv** . . .était un petit hameau tranquille.
- **v** . . .portent des traces du combat.
- **vi** . . .a su garder un côté rural ainsi que son côté urbain.
- **vii** . . .portent le même nom.
- **viii** . . .faisaient la route entre Charleroi et Bruxelles.

2. Remplissez les blancs dans ce résumé à l'aide des mots qui le suivent.

De ses origines **(a)**......... où les voyageurs **(b)**......... ce petit village peu **(c)**......... , Waterloo est arrivée à une **(d)**......... mondiale depuis que la bataille du 18 juin 1815 a su changer le **(e)**......... de l'histoire en Europe. Aujourd'hui, Waterloo est une commune **(f)**......... d'histoire dans la **(g)**......... de Bruxelles.

cours	**connu**	**notoriété**	**fréquentaient**	**banlieue**	**humbles**	**chargée**

3. Le champ de bataille de Waterloo
Répondez en français aux questions suivantes.

- **a** Qui était «l'Aigle»?
- **b** Qui était «le Duc de Fer»?
- **c** Pourquoi peut-on dire que cette bataille fut une sorte de guerre civile pour les Belges?
- **d** Pourquoi cette bataille représentait-elle la fin de l'ère Napoléonienne?
- **e** Comment la notoriété de Waterloo s'est-elle traduite sur le plan mondial?

Texte E: *Le Plat Pays*

Tiré de *De 24 Grootste Successen,* Jacques Brel 1988

Jacques Brel 1929–1978 – né à Bruxelles d'une famille d'industriels. Il débute à Paris en 1953 mais il lui faut attendre jusqu'en 1957 pour connaître le succès. Dans ses chansons on retrouve les thèmes de l'amour, l'amitié, la fraternité mais il passe à la misogynie, l'anticléricalisme et un anticonformisme croissant. Ses chansons brillent surtout par les paroles et les jeux de mots.

Le Plat Pays

Avec la mer du nord pour dernier terrain vague,
Et des vagues de dunes pour arrêter les vagues,
Et de vagues rochers que les marées dépassent,
Et qui ont à jamais le cœur à marée basse,
Avec infiniment de brumes à venir,
Avec le vent de l'est, écoutez-le tenir,
Le plat pays qui est le mien.

Avec des cathédrales pour uniques montagnes,
Et de noirs clochers comme mâts de cocagne,
Où des diables en pierre décrochent les nuages,
Avec le fil des jours pour unique voyage,
Et des chemins de pluie pour unique bonsoir,
Avec le vent de l'ouest, écoutez-le vouloir,
Le plat pays qui est le mien.

Avec un ciel si bas qu'un canal s'est perdu,
Avec un ciel si bas qu'il fait l'humilité,
Avec un ciel si gris qu'un canal s'est pendu,
Avec un ciel si gris qu'il faut lui pardonner,
Avec le vent du nord qui vient s'écarteler,
Avec le vent du nord, écoutez-le craquer,
Le plat pays qui est le mien.

Avec de l'Italie qui descendrait l'Escaut,
Avec Frida la blonde quand elle devient Margot,
Quand les fils de novembre nous reviennent en mai,
Quand la plaine est fumante et tremble sous juillet,
Quand le vent est au rire, quand le vent est au blé,
Quand le vent est au sud, écoutez-le chanter,
Le plat pays qui est le mien.

Les mots et les expressions

1. A l'aide de votre dictionnaire, trouvez les différents sens du mot «vague».

2. Cherchez les mots et les expressions synonymes de ceux ci-dessous.
a qui se sentent toujours tristes
b le temps qui passe leur suffit comme chemin
c se déchirer
d le temps des moissons

Les faits et les opinions

3. Dans sa chanson, Brel parle des quatre vents et de leur effet sur son pays. Avec quel vent associeriez-vous les suivants?
a le bonheur
b le désir de se surpasser
c le courage
d la dépression

4. Quelle est l'attitude de Brel vis-à-vis de son pays? Ecrivez votre réponse en français.

Sujets de rédaction/coursework

1. Bruxelles: ville européenne et internationale

Pour vous aider:
Vous pouvez considérer:
- son histoire y compris un peu d'histoire de la Belgique
- son côté bilingue
- son importance européenne (le siège de la Commission – pourquoi Bruxelles et non pas Paris, Bonn ou Amsterdam?)
- son importance internationale (tourisme/commerce/politique).

2. La bière et le chocolat en Belgique

Pour vous aider:
Considérez:
- l'histoire des industries y compris les raisons de leur installation en Belgique
- les méthodes de fabrication
- leur importance pour l'économie belge
- leur statut mondial.

3. La bande dessinée et l'importance des dessinateurs belges

Pour vous aider:
Examinez:
- l'histoire de la bande dessinée belge
- les principaux dessinateurs – leurs créations et leurs vies
- la bande dessinée en tant que. . . **a** divertissement
  b commentaire sur les mœurs
- le succès mondial.

4. L'Union Européenne

Pour vous aider:
Incluez:
- l'histoire de l'Union depuis ses débuts en 1952 (six membres) jusqu'à aujourd'hui (quinze membres)
- les institutions (le Parlement européen/le Conseil de l'Union européenne/la Cour de Justice/le Comité économique et social/le Comité des régions), le rôle qu'elles jouent et leur fonctionnement
- le Traité de Maastricht
- la Monnaie Unique et l'avenir de l'Union.

5. La Belgique – un pays, deux langues

Pour vous aider:
Vous devez considérer:
- l'histoire de la division linguistique (à noter qu'il existe une petite minorité de langue allemande dans l'est des provinces de Liège et du Luxembourg où l'on parle allemand)
- la division géographique
- les différences culturelles
- le statut officiel des deux langues
- le pourcentage des gens qui parlent les deux langues
- Bruxelles comme ville bilingue.

Sources supplémentaires

Union Européenne sur Internet: http://europa.eu.int.

Tout sur la Belgique:
http://belgium.fgov.be/abtb/frans/trefwoord.htm
An alphabetical list of all the Internet sites about Belgium.

Commission Européenne
Rue de la Loi 200
1049 Bruxelles
Belgique

Office de Tourisme et d'Information de Bruxelles
Hôtel de Ville
Grand-Place
1000 Bruxelles
Belgique

Syndicat d'Initiative et de Tourisme de Waterloo
Chaussée de Bruxelles, 149
1410 Waterloo
Belgique

Jacques Brel sur Internet:
http://www.ambafrance.org/TENDRE/BIOGRAPHIES/brel.html

Musée de la Bande Dessinée
Rue des Sables
Bruxelles
Belgique